D0526035

LES GRANDES BLONDES

DU MÊME AUTEUR

LE MÉRIDIEN DE GREENWICH, *roman,* 1979
CHEROKEE, *roman,* 1983, (“double”, n° 22)
L’ÉQUIPÉE MALAISE, *roman,* 1986, (“double”, n° 13)
L’OCCUPATION DES SOLS, 1988
LAC, *roman,* 1989
NOUS TROIS, *roman,* 1992
LES GRANDES BLONDES, *roman,* 1995, (“double”, n° 34)
UN AN, *roman,* 1997
JE M’EN VAIS, *roman,* 1999, (“double”, n° 17)
JÉRÔME LINDON, 2001
AU PIANO, *roman,* 2003
RAVEL, *roman,* 2006

JEAN ECHENOZ

LES GRANDES BLONDES

LES ÉDITIONS DE MINUIT

7, rue Bernard-Palissy, 75006 Paris

www.leseditionsdeminuit.fr

ISBN 2-7073-1943-0

1

Vous êtes Paul Salvador et vous cherchez quelqu'un. L'hiver touche à sa fin. Mais vous n'aimez pas chercher seul, vous n'avez pas beaucoup de temps, donc vous prenez contact avec Jouve.

Vous pourriez, comme à l'accoutumée, lui donner rendez-vous sur un banc, dans un bar ou dans un bureau, le vôtre ou le sien. Pour changer un peu, vous lui proposez qu'on se retrouve à la piscine de la porte des Lilas. Jouve accepte volontiers.

Vous, le jour dit, seriez présent à l'heure dite au lieu convenu. Mais vous n'êtes pas Paul Salvador qui arrive très en avance à tous ses rendez-vous.

Lui, ce jour-là spécialement en avance, fit d'abord le tour du grand bâtiment noir et blanc contenant cinq mille hectolitres d'eau. Puis, suivant l'inclinaison légère du boulevard Mortier, il passa devant les constructions grises qui jouxtent la piscine au sud et contiennent pour leur part cinq cents fonctionnaires émargeant aux services français du renseignement.

Salvador entreprit d'en faire également le tour jusqu'à ce que, non loin, sonnât l'heure au clocher de Notre-Dame des Otages.

Jouve et lui s'étaient retrouvés à la cafétéria du stade nautique, au-dessus des tribunes qui surplombent les bassins, sous le grand toit ouvrant transparent. Seuls revêtus dans cet espace de leurs complets, gris clair pour Salvador et bleu marine pour Jouve, ils voyaient à leurs pieds s'agiter les baigneurs, observaient plus attentivement les baigneuses, chacun pour soi dressant une typologie de leurs maillots : les une ou deux-pièces, les bikinis ou brésiliens, les prototypes à gaufres, à smocks, à fronces voire à volants. Ils ne parlaient pas encore. Ils attendaient leur Perrier-citron.

Salvador travaillait à cette époque pour une société de production de programmes télévisés, section divertissements et magazines, divertissements et magazines que Jouve regardait tous les soirs avec son épouse. Grand individu maigre autour de quarante ans, Salvador n'avait pas d'épouse. Ses longs doigts pâles jouaient en toute circonstance entre eux cependant que, plus charpentières ou charcutières, les mains de Jouve s'ignoraient au contraire, s'évitaient avec soin, chacune enfermée dans sa poche la plupart du temps. Massif, dix ans de plus que Salvador et dix centimètres en moins, Jouve goûta prudemment le contenu de son verre : l'eau gazeuse et le citron s'harmonisaient à l'air chloré du stade nautique pour vous déterger les narines en douceur. Alors, dit-il enfin, c'est qui, cette fois ? Puis il secoua négativement la tête après que Salvador eut prononcé le nom d'une femme. Ma foi non, dit-il, je crois bien que ça ne me dit rien. Jetez quand même un œil là-dessus, dit Salvador en lui tendant une liasse de coupures de presse et de clichés représentant la même jeune femme, toujours en train de sortir de quelque part et légendée sous le nom de Gloria Stella.

Deux sortes de photographies. Sur les unes en quadrichromie, découpées dans du papier glacé d'hebdomadaire, on la voyait sortir de scène, jaillir d'une Jaguar ou d'un jacuzzi. Sur les autres un peu plus récentes, en noir et blanc médiocrement tramé, extraites des pages Société de la presse quotidienne, on la reconnaissait passant une porte de commissariat central, quittant le bureau d'un avocat puis descendant les marches d'un palais de justice. Autant les unes, soigneusement éclairées, foisonnaient en sourires éclatants et regards conquérants, autant les autres n'étaient qu'yeux détournés sous lunettes noires et lèvres closes, aplatis par les flashes et hâtivement cadrés. Oh mais, dit Jouve, attendez un instant.

En attendant l'instant, Salvador s'absenta deux minutes et sur la porte des toilettes, parmi diverses propositions de rencontre avait été portée, d'un trait de feutre exaspéré, l'inscription *Ni dieu ni maître-nageur !* Ça y est, dit Jouve quand Salvador vint reprendre sa place à la cafétéria, ça m'est revenu. Je me souviens de cette histoire. Qu'est-ce qu'elle est devenue, la fille ?

– Aucune idée, fit Salvador. Disparue depuis quatre ans. Si vous pouviez m'arranger ça. Ça ne devrait pas être bien compliqué, non ?

– Ça ne devrait pas, dit Jouve. Il faut voir.

Ensuite ils repartaient à pied vers les boulevards de ceinture. Bon, dit Jouve, je vais constituer un petit dossier. Si vous pouviez me noter ce que vous avez sur elle. Bien sûr, dit Salvador en extrayant de sa poche un nouveau document, je vous ai préparé ça. Je vous ai marqué tout ce que j'ai pu trouver sur ce papier. Belle fille en tout cas, trouva Jouve en feuilletant les photos. Je peux les garder ? Naturellement, dit Salvador.

Ensemble ils repassèrent devant le siège du contre-espionnage dont on ne distinguait que les étages supérieurs derrière un mur d'enceinte aveugle, hérissé de caméras fixes braquées sur les trottoirs et de chevaux de frise barbelés. Boulonnés de loin en loin, des panneaux d'émail dissuadaient de filmer ou de photographier la zone, classée militaire et témoignant des conceptions successives, entre 1860 et 1960, de l'architecture administrative. Une haute tour métallique maigre y supportait nombre d'antennes orientées vers les quatre coins du monde et le seul accès consistait en un portail monté sur rails, par où entraient et sortaient nerveusement des véhicules français contenant des sujets flous. Deux factionnaires en uniforme veillaient mimétiquement sur ce portail, expression dissuasive et teint brouillé comme lui, regard masqué par des lunettes en verre miroir.

– Je ne vous le cache pas, dit Salvador, ça risque de ne pas être facile. On a un peu cherché de notre côté, mais ça n'a rien donné. On dirait qu'elle n'a plus fait signe à personne depuis, je vous dis, pratiquement quatre ans.

– On va voir, dit Jouve, je vais tout de suite vous mettre quelqu'un là-dessus. Mais qui ? se demanda-t-il. Il y a Boccara qui ne serait pas mal, je vais voir s'il est libre. Sinon Kastner, peut-être. Oui, plutôt Kastner. Un type gentil qui pourrait vous arranger ça très bien. C'est son identité, d'abord ?

– Pardon, fit Salvador, quelle identité ?

– Ça, cc nom, dit Jouve en posant un index sur Gloria Stella. Ça fait un peu barque de pêche, comme nom, vous ne trouvez pas ?

– Ah oui, dit Salvador, mais non, bien sûr que non. Mais vous verrez, je vous ai tout marqué sur le papier.

2

Jean-Claude Kastner atteignit en fin d'après-midi la petite zone industrielle qui donne une première idée de Saint-Brieuc. Il rangea sa voiture sur le parking d'une usine d'aliments pour animaux puis chercha dans la boîte à gants un pochon de plastique opaque, fermé par un système de velcro, qu'il posa sur ses genoux sans l'ouvrir aussitôt. D'abord il se pressa les yeux, du bout des doigts mais fortement, pour les purger de quatre cents kilomètres d'autoroute.

Le pochon contenait les documents communiqués l'avant-veille à Jouve par Salvador, avec la carte Michelin 58 qui détaille la Bretagne entre Lamballe et Brest. Dans un pli de la péninsule était glissée une liste manuscrite de villages portuaires essaimés sur la côte ainsi que d'autres à l'intérieur des terres, d'ici jusqu'à Saint-Pol-de-Léon. Selon les premiers recoupements opérés par Jouve, là pouvait résider la femme – une belle grande personne blonde intimidante – représentée sur les photos sous divers angles et divers cieux. Dressant le circuit des jours à venir, Jean-Claude Kastner fit se joindre au crayon rouge, à même la carte routière, les agglomérations qu'il faudrait visiter. Une fois celles-ci reliées par une ligne brisée, comme dans les jeux des magazines, le parcours ne dessinait pas de figure identifiable et cela déçut distraitement Kastner.

Ayant replié ces matériaux dans leur étui, il démarra puis manœuvra, regagna la route nationale et roula jusqu'à Saint-Brieuc. Son véhicule garé dans le centre-ville près du marché couvert, Kastner dîna d'un couscous impérial chez un des Maghrébins qui se concurrencent du côté de l'ancienne gare, puis il trouva une chambre dans un hôtel peu étoilé face à la nouvelle. Maussadement éclairée par un seul plafonnier, la chambre était un cube aveugle sans téléviseur ni réfrigérateur, sans gamme de produits de toilette dans la salle de bains puisque sans salle de bains : dans un angle avait été seulement greffée une douche élémentaire sous un dispositif de plastique dépoli pliable, fragile et qui fuyait. Kastner s'endormit assez rapidement.

Il s'éveilla très vite aussi, deux heures plus tard, se tourna plusieurs fois dans son lit sans trouver le sommeil, ralluma le plafonnier puis tenta de reprendre un ouvrage de science-fiction dont les tenants lui échappaient encore plus que les aboutissants. Il faisait trop chaud puis trop froid dans la chambre, Kastner grelottait et suait alternativement, il n'avait pas la tête à ce qu'il lisait. Reprenant sa carte routière, il remania l'itinéraire établi sur le parking : cela changeait peu de choses mais, cette fois, le dessin obtenu rappelait vaguement un hippocampe couché. En désespoir de cause, l'homme finit par absorber un hypnotique pour s'assoupir vingt minutes après.

Des songes sans suite le traversèrent, conclus par un cauchemar coutumier. Rêve classique de vertige : Kastner s'agrippe de toutes ses forces au sommet d'un montage vertical fait de poutrelles disjointes et croisillons rouillés, surplombant un abîme. C'est un échafaudage précaire dont la peinture s'écaille et qu'un vent fort menace de mettre à bas. Kastner n'ose pas regarder le vide au-dessous de lui, il sent que ses forces déclinent et vont l'abandonner, il voit bien qu'il va lâcher prise. C'est déjà très pénible et d'ordinaire le rêve s'arrête là, c'est là que sa frayeur généralement l'éveille. Mais cette fois, non : cette fois Kastner décroche et tombe, il tombe dans le vide interminablement. Il s'éveille juste, en nage, avant de toucher le sol.

Commandé pour sept heures, le petit déjeuner se composait de café délavé, orangeade et viennoiserie industrielles. Kastner n'aurait pas le cœur à tout manger. L'hypnotique avait asséché sa bouche, coupé ses forces comme dans son rêve mais aussi presque toute sa faim ; il était courbatu, fébrile, ses doigts tremblaient un peu. Il procéda de mauvaise grâce à quelques flexions-extensions, au terme desquelles sa sueur aussi dégageait une odeur chimique qui insista même après une douche détaillée, persévérant sous l'eau de toilette. Puis il revêtit la même tenue que la veille : complet acrylique marron sur polo acrylique bordeaux. Kastner, de la sorte, était habillé comme certains représentants ou démarcheurs – professions qu'il avait plus ou moins exercées dans le passé, avec d'autres d'un prestige parent dans la division sociale du travail.

Tout le jour, à bord de sa voiture, la carte Michelin dépliée sur le siège avant droit, Kastner suivit le trajet prévu. S'arrêtant dans chaque bled, il montrait ses photos aux tenanciers de café-bar, gérants de stations-service, tripiers et pâtissiers pas encore mis à bas par les grandes surfaces. Il s'était persuadé d'être discret. La femme sur les photos, Kastner disait que c'était sa sœur ou sa belle-sœur, selon. Une fois il s'enhardit à prétendre qu'elle était son épouse mais cela le troubla, il fut ému, il ne s'y risqua plus. Les petits commerçants secouaient de toute façon leur tête en poussant leurs lèvres en avant, mais Kastner arpentait aussi les grandes surfaces. En vain toute cette journée, en vain celle qui suivit.

Le troisième jour il plut, Kastner s'était perdu. De fait il pleuvait sans pleuvoir, des gouttes infimes piquetaient le pare-brise : pas assez pour brancher l'essuie-glaces, pas assez faiblement pour s'en passer :

les balais brouillaient l'écran de verre au lieu de le nettoyer. Sans doute à cause d'eux, tâchant de rejoindre un bourg nommé Launay-Mal-Nommé, Kastner avait dû rater un croisement sur la D 789, quelque part entre Kerpalud et Kervodin, pour se retrouver maintenant au beau milieu d'un lot de maisons grises anonymes. Garé sur un terre-plein devant une église immobile, un monument aux morts à gauche et sur la droite un petit cimetière marin guère plus dansant : rien pour inspirer de la gaieté à l'homme dans son auto qui essaie de décrypter sa carte routière – à présent comme un rébus – puis qui cherche distraitement son nom sur le flanc du monument aux morts, mais comme d'habitude en pure perte : ne s'alignent là que des patronymes d'origine locale, ce qui n'est pas le cas de Kastner.

Son regard se déporta vers l'église derrière laquelle un homme âgé disparaissait à peine surgi, puis deux minutes plus tard une femme longea le portail de l'édifice. Kastner, malgré tous les sens interdits de sa vie, n'avait jamais aimé demander son chemin à qui que ce fût mais l'humidité, la solitude et le silence ambiants, cette fois, l'amenèrent à baisser sa vitre et, comme cette femme passait à sa hauteur, à s'excuser de la déranger :

– Pardon, fit-il, je crois que je me suis égaré. Je cherche un embranchement que je ne trouve pas. Vous n'auriez pas l'idée d'un embranchement, dans le coin ?

Il s'agissait d'une jeune femme un peu voûtée : de petits souliers plats, des cheveux ternes mi-longs qu'on dirait faute de mieux châtains, de grosses lunettes sur un bref nez busqué – le tout maquillé violemment puis emballé dans une tenue de jogging dépareillée. Expression fermée, peut-être craintive, rien d'attrayant, pas l'air méchant. Elle s'arrêta sans s'approcher tout de suite, son corps penché de côté sous le poids d'un sac à provisions. Un embranchement, répéta Kastner, un croisement.

Elle paraissait à première vue n'avoir pas d'idées sur ce sujet, puis elle ne semblait pas avoir tellement d'idées en général. Pas l'air bien dégourdie, jugea Kastner en insistant lentement, d'une voix mieux articulée, appuyant bien son doigt sur la carte qu'il présentait de travers par la vitre baissée. Launay-Mal-Nommé, précisa-t-il, c'est là que je vais.

– Launay, dit enfin la femme sans regarder la carte, je vois bien. C'est mon chemin. Attendez que je vous dise.

Un blanc puis, d'une voix monocorde, une succession de première à droite et de première à droite, d'à gauche avant un feu, de troisième au rond-point, on ne pouvait pas se tromper, rapidement Kastner avait décroché. Ecoutez, lui dit-il, si c'est là que vous allez, je pourrais vous avancer si vous voulez. Vous me guideriez. Montez. Si vous voulez. Un autre blanc puis elle fit juste un signe de tête, avec une phrase à propos d'un car que Kastner ne comprit pas lorsqu'elle contournait la voiture par l'arrière. Elle monta, posant le sac à la place de ses pieds. Durant tout le trajet le sac gênerait ses pieds mais Kastner n'oserait pas suggérer qu'on le transférât sur la banquette arrière.

Ce trajet fournirait le spectacle uniforme de maisons grises éparses, peu semblaient habitées, pas mal étaient à vendre mais qui voudrait, s'interrogea Kastner, de celles dont les étroites fenêtres ne donnent pas sur la mer : pas moi. Pas tellement un pays pour moi. J'aime mieux le soleil et de toute manière, en tout état de cause je n'ai pas l'argent. Sur les façades exsangues on distinguait parfois, pot de fleur ou linge étendu, l'indice de l'eau, signe de vie, s'évaporant du linge en irriguant la fleur. D'autres ne respiraient plus qu'à peine, vieilles enveloppes affranchies de publicités peintes cinquante ans plus tôt, bandages herniaires et phosphatines fantomatiques.

Immobile sur son siège, lèvres presque immobiles, sa passagère indiquait mot à mot le parcours à Kastner. Lequel, en principe concentré sur la route, usait de son œil périphérique pour détailler le brusque maquillage : paupières vert pomme, deux traits violets sur les sourcils, deux ronds de blush terre cuite sur les pommettes et rouge à lèvres extraterritorial grenat. Le tout sur un fond plutôt pâlichon. L'œil périphérique déchiffra même l'heure sur un petit bracelet-montre comme on en gagne dans les foires – dix-neuf heures moins quelque chose – et repéra quelques traces rouges qui s'écaillaient sur des lunules d'ongles rongés. En amont de l'un d'entre eux, Kastner crut identifier une alliance – mais non, l'objet s'étant retourné s'ornait d'une pierre merdique verdâtre assortie de trois brillants.

On progressait vers Launay-Mal-Nommé, la jeune femme se taisait complètement à présent. Histoire de meubler un peu, Kastner jugea bon d'exposer les raisons de sa présence. Employé par une petite société privée, on l'avait dépêché dans le secteur avec mission de retrouver une personne. Pour des raisons, précisa-t-il, qui lui échappaient – sans doute quelque pauvre affaire de recouvrement de dettes, comme c'était trop souvent le cas. Veillant à ne pas frôler sa passagère, il étendit le bras vers la boîte à gants pour en extraire à l'aveuglette deux ou trois photos de la personne. Ça ne vous dirait rien, par hasard ? Elle écoutait à peine ou ne comprenait pas tout, elle dit non comme elle aurait dit oui, elle n'avait pas l'air très heureuse ni très équilibrée. Kastner sentait monter en lui de la sympathie, non loin d'une vague solidarité.

Au détour d'un virage, la jeune femme pointa son doigt (c'est là, je descends là) vers une petite maison isolée près de la route : Kastner freina tout en rétrogradant. C'était une habitation basse et grisâtre, comme nombre d'autres dans le coin, flanquée d'un jardinet. Ralliées à l'état sauvage, des fleurs indécises y cernaient un palmier jauni, à moitié mort de froid malgré le microclimat, semblant un gros balai d'éboueur planté dans le sol et poussé là. Vous n'êtes plus loin, maintenant, dit la jeune femme, c'est tout droit sur un petit kilomètre. Merci, dit Kastner, merci bien. C'est moi, dit la jeune femme, je peux vous offrir un verre ? C'est que je ne voudrais pas abuser, dit Kastner. Voyons, fit-elle avec un demi-sourire inédit. Puis, comme elle se penchait pour ramasser son sac, sa main gauche effleura comme par inadvertance la cuisse droite de Kastner. Qui frémit imperceptiblement. Puis qui dit bon, d'accord, avant de se garer sur le bas-côté. Ne laissez pas la voiture là, dit la jeune femme, je vais vous ouvrir. Bon, bon, répéta Kastner dont l'auto franchit le portail et contourna l'habitation vers une courette symétrique au jardin. Kastner coupa le contact, sortit du véhicule et claqua la portière sans retirer son trousseau de clefs du tableau de bord.

La mer n'était pas loin. Par une fenêtre latérale, sans ligne d'horizon distincte, on croyait la voir se fondre avec le ciel dans le jour finissant. Kastner était maintenant assis dans un fauteuil d'osier peu confortable, un verre à la main, des brochures en pile à ses pieds. Les meubles du séjour étaient rudimentaires, désassortis comme dans les maisons qu'on loue pour les vacances ; une douille au bout d'un fil, au milieu du plafond, pendait sans son ampoule. Après un premier verre, Kastner en avait accepté un autre puis un troisième avant que la jeune femme lui eût proposé, vu l'heure et tant qu'on y est, de rester dîner. Cela changerait de l'entrecôte-frites avalée seul à grande vitesse, il n'avait pas dit non. Puis ils n'avaient plus échangé beaucoup de paroles. Kastner entendait la jeune femme déplacer des objets de verre et de métal dans la cuisine. Incongrue, aussitôt congédiée, l'idée le traversa que toute la vie pourrait s'écouler ainsi.

En attendant il fit l'inventaire des brochures : toujours les mêmes hebdomadaires du mois dernier, un magazine de programmes télévisés, l'almanach des marées pour l'année en cours. Feuilletant ce dernier, cherchant le jour qu'on était, peu familier de ces phénomènes il lui sembla quand même comprendre qu'à cette date correspondait, pour vingt-trois heures vingt-quatre, un coefficient record de marée haute. La jeune femme repassait de temps en temps dans le séjour, rétablissant les niveaux dans les verres jusqu'à ce que le dîner fût déclaré prêt.

Elle n'avait préparé que des aliments blancs, crevettes décortiquées, pâtes et yaourts nature, assaisonnés de sauces en tube aux couleurs non moins vives que ses fards. Vin blanc. Kastner lui posant des questions sur sa vie, la femme prétendit qu'elle avait travaillé l'an passé dans une conserverie, qu'elle avait dû quitter, qu'elle était à présent sans emploi comme pas mal de gens dans la région (c'est malheureusement le cas un peu partout, commenta Kastner avec gravité) mais qu'elle donnait un coup de main deux fois par semaine chez un mareyeur de Ploubazlancc (j'ai moi-même aussi travaillé dans le poisson, fit savoir Kastner sans autrement préciser).

A la fin du dîner, assez ivre en vérité, Kastner composa quelques sinueuses formules desquelles on pouvait déduire qu'il trouvait la jeune femme bien plaisante et qu'il était, ma foi, bien séduit. Comme en le resservant elle souriait, il jugea que les choses avançaient. Comme elle ne retirait pas sa main de la sienne, il estima l'affaire conclue. L'embrassant ensuite avec voracité, debout près de la porte, force lui fut d'admettre qu'il titubait un peu. Puis avec un ricanement, ses doigts cherchant aveuglément une ouverture dans le textile adverse, il commençait d'être excité lorsqu'une sueur froide l'envahit. La femme riait en secouant la tête, doucement elle caressa la joue de Kastner avant que sa main glissât sur son cou, contre sa poitrine, et lorsqu'elle franchit sa ceinture l'homme trembla de tout son corps et pâlit. Puis, bien qu'elle se fût encore serrée contre lui, Kastner continuait de trembler. Qu'est-ce que tu as ? fit-elle à voix basse. Kastner avait du mal à s'expliquer. Viens, dit-elle, on va prendre l'air, tu vas respirer un peu. Oui, dit Kastner, si vous si tu veux.

Il n'avait pas pris garde au temps qui passe pendant le dîner. Il fut surpris que la nuit fût déjà tombée si noire, opaque et mate, concrète ainsi qu'un matériau, privée d'étoiles comme si sa consistance cachait le plafond. Tout juste si, loin dans son coin, pendait une lune réduite à son plus fin copeau. A peine passé la porte, Kastner enlaçait à nouveau la jeune femme et se permit à présent, l'air frais, l'obscurité l'encourageant, d'explorer plus avant les choses. Elle ne paraissait pas rétive à cette démarche, ainsi Kastner était content. Attends un peu, dit-elle, viens. On sera mieux par là.

Pour aller par là, s'éloignant de la route, ils s'engagèrent dans un chemin de terre entre deux plantations d'artichauts. La jeune femme allait devant, Kastner suivait au jugé, trébuchant selon les accidents du sol, décontenancé par la nuit, le rut et le vin blanc. N'apercevant même pas ses pieds, l'homme découvrit au tout dernier moment que la mer était juste là, trente mètres en contrebas. Du haut de la falaise qu'il venait d'atteindre on ne la distinguait pas, mais Kastner comprit sa présence proche à son habituel grondement sourd, traversé de convulsions. Çà et là s'écrasant sur les roches, une vague plus forte explosait en grosse caisse, ensuite s'éparpillant en frémissements de cymbale cloutée. La jeune femme parut s'éloigner vers une silhouette de petit blockhaus, format guérite à deux places – l'idéal, balbutia la conscience de Kastner.

Mais un instant plus tard, elle avait disparu derrière cet édicule. Kastner le rejoignit, le contourna sans la retrouver. Comme il allait l'appeler, s'avisant juste alors qu'il ignorait son nom, timidement il émit quelques exclamations de type hé, oh, ého – suivies d'un euh prolongé à l'intention de lui-même, penché vers la mer mais s'appuyant d'une main au mur de la guérite.

Puis, comme il basculait dans le vide sous l'effet d'une violente poussée, son interjection se transforma en un cri étranglé, gémissement horrifié qui se prolongea pendant que ressuscitaient, à l'accéléré, les sensations de son dernier rêve. Pendant sa chute il eut à peine le temps de souhaiter s'éveiller encore avant de toucher le sol mais, cette fois, non. Cette fois son corps se disloquerait vraiment sur les rochers. De l'homme nommé Kastner ne resteraient plus assemblés que ses vêtements, changés en sacs d'ossements brisés. Deux heures plus tard la marée monterait se charger d'eux, puis son coefficient record les emporterait très loin des côtes et six semaines après, méconnaissables, la mer les restituerait.

Que Jean-Claude Kastner soit d'abord parvenu à se perdre dans une région civilisée, correctement signalisée, dénote déjà qu'il n'était pas l'enquêteur le mieux avisé qui fût. Qu'il ait dû demander son chemin à une passante en dit assez de sa candeur. Mais qu'il n'ait pu reconnaître en celle-ci la personne même qu'il recherchait achève de le disqualifier. Même si cette personne a beaucoup changé.

De fait elle s'était complètement transformée. Selon les documents qu'on lui avait confiés, Kastner s'était représenté quelque élégante grande blonde à jambes interminables et talons hauts, démarche délicatement tanguée d'équilibriste et regard clair versé en pente douce sur lui. Il l'avait vue comme ça. Ce n'était plus du tout ça. Elle ne répondait plus en aucun point au signalement. Il est vrai que, depuis le temps qu'elle avait disparu, les choses avaient eu tout loisir d'évoluer.

3

Et le lendemain, vous êtes quelqu'un qui cherche Paul Salvador. Votre voiture vous transporte vers l'est de Paris, du côté de la porte Dorée, non loin du bois de Vincennes. Vous vous garez devant l'immeuble neuf qui abrite la société Stocastic Film : six étages de bureaux et de studios, soixante millions de chiffre d'affaires au coin de l'avenue du Général-Dodds et du boulevard Poniatowski. Vous entrez sans vous faire remarquer. Etanche comme un bunker, le hall est meublé de plantes vertes et de luminaires indirects, en son milieu se dresse une haute sculpture abstraite polychrome, totem planté de biais dans un paillasson de gravier. A droite un rang d'exceptionnelles réceptionnistes tout ongles, cils et seins, à gauche rien de particulier. Au fond, les ascenseurs. Oubliez les réceptionnistes, foncez vers l'ascenseur.

Vous traversez le hall, nul ne vous demande rien. Sûrs de leur barbe de trois jours, c'est à peine si de jeunes gens bottés en blouson décidé vous bousculent un petit peu. Sans doute votre œil souhaiterait aussi traîner sur toutes les filles déstructurées qui vont et viennent ici, mais négligez-les également, foncez. Entrez dans la cabine, appuyez sur le chiffre 3.

La porte de l'ascenseur s'ouvre sur un couloir que vous suivez jusqu'au premier bureau ouvert : c'est là. Entrez. Postez-vous tranquillement dans un coin. Attendez. Quoi qu'il advienne, on ne va pas vous remarquer. De toute façon le bureau de Salvador est vide pour le moment. C'est une grande pièce dont les doubles vitrages donnent calmement sur le trafic de l'avenue. Fauteuils et table de conférence, mais aussi grand miroir ovale et canapé ; sur un mur, deux toiles peintes on se demande par qui ; contre un autre, à bas bruit, six téléviseurs empilés diffusent les grilles de la journée. Les murs sont vert wagon, la moquette sable chaud. Pas une archive ne traîne, pas un papier, toutes les données sont digitalisées. Seuls sur la table gisent quelques dossiers, projets en cours que Stocastic remettra sur mesure, clefs en main, aux chaînes de télévision publiques et privées.

Voici que survient Salvador, il n'a pas l'air très occupé. Il fait le tour de son bureau, regarde sans les voir des spectres s'agiter sur les écrans, puis l'avenue par la fenêtre, puis son reflet dans le miroir ovale. Distraitement il compulse quelques dossiers en attendant son assistante. La voici. Allons-y.

95-60-93, en toute saison Donatienne se distingue par le port de vêtements surnaturellement courts et miraculeusement décolletés, quelquefois en même temps si courts et décolletés qu'entre ces adjectifs ne demeure presque plus rien de vrai tissu. Dotée d'une énergie de surgénérateur, Donatienne projette sur la table une enveloppe matelassée de bulles en plastique avant de s'asseoir dans un fauteuil et de s'exprimer d'une voix rapide, acérée mais fragile comme une arête de craie. Il arrive que parler, chez Donatienne, consiste à dérouler une seule interminable phrase sans reprendre souffle, sans point ni virgule ni blanc – performance à laquelle, dans le souvenir de Salvador, seul Roland Kirk est parvenu au saxophone, et peut-être aussi Johnny Griffin dans une moindre mesure – tout en battant, sur un rythme ternaire, l'accoudoir du fauteuil de sa paume droite. Il arrive aussi qu'elle s'exprime plus sobrement.

Salvador décachette l'enveloppe. Elle contient deux quarante-cinq tours enregistrés cinq ou six ans plus tôt, quand le vinyle était encore monnaie courante. Tous deux portent en caractères gras le nom de Gloria Stella, suivi du titre de la face A (*Excessif* pour l'un, *On ne part pas* pour l'autre), sur fond de photographie de l'interprète en couleur. Donatienne, cependant, décrit tout le mal qu'elle s'est donné pour se procurer ces deux disques devenus indisponibles. Elle paraît insister – Salvador ne l'écoute qu'à peine – sur l'écart entre l'ampleur de ses recherches et l'intérêt de leur objet. Afin de souligner son propos, elle esquisse un geste dédaigneux de la main gauche en haussant une épaule, laissant glisser sur l'autre épaule une bretelle de son vêtement bref. Comme elle hausse fréquemment les épaules une bretelle de sa robe glisse une fois sur deux, l'autre fois c'est l'autre bretelle, Salvador détourne les yeux deux fois sur deux. Mais voici qu'opportunément le téléphone sonne, qui lui permet de s'occuper ailleurs. J'écoute, prononce-t-il.

A l'autre bout du fil, Jouve a un ton soucieux. La veille au soir, son employé Kastner n'a pas appelé au rapport comme il est tenu quotidiennement de le faire et quelle que soit, fructueuse ou pas, la progression de ses recherches. Ça m'embête un peu, dit-il, c'est la première fois. Ça ne lui ressemble pas. Enfin, je vais voir s'il fait signe ce soir. D'accord, dit Salvador, vous me tenez au courant. Puis, ayant raccroché : allons, dit-il, au travail. Donatienne rouvre le dossier Gloria Stella.

Les projets d'émissions de Salvador en appellent d'habitude à la mémoire collective. Que sont-ils devenus ? Tel est le système, bon vieux système qui a fait ses preuves. On va chercher un nom dont la postérité s'est effacée, dont l'écho s'est éteint. Animateur en retraite, acteur d'un rôle, escroc surdoué, champion de jeu radiophonique, on exhume une ancienne célébrité instantanée puis immédiatement soluble dans l'oubli. Tête d'affiche aussitôt évaporée, amnistiée du souvenir. Quelqu'un dont on se souvient si peu qu'on ne se rappelait même plus l'avoir oublié mais qui est là : rangé comme les autres au fond d'un placard, dans les plus vieux cartons de la mémoire. Ils sont toujours là, ces cartons, tout au fond, bien que certains soient endommagés suite à une fuite au plafond de la mémoire. Les étiquettes collées dessus ne sont plus très lisibles. Les émissions de Salvador consistent à repeindre le plafond, rafraîchir la mémoire et rouvrir les cartons.

Mais cela peut prendre un tour plus intime, plus personnel. Il en est ainsi par exemple avec *Du fond du cœur,* un bon succès d'audience auprès des préretraités de province, ou avec *La plus belle de la plage* (« Vous avez connu la plus belle de la plage et vous vous en souvenez. Vous ne vous en souvenez que trop, vous n'osiez pas lui dire un mot. Vous vous rappelez son nom ? Ecrivez-nous. La plus belle fille de votre plage, nous vous la retrouverons »). C'est autre chose avec Gloria Stella dont le cas s'inscrit dans un cadre plus large. En effet, chanteuse populaire puis héroïne de fait divers, à ces deux titres successifs elle a pas mal fait parler d'elle, il y a cinq ou six ans, l'espace de quelques mois.

Rapide carrière : née Gloire Abgrall, précoce mannequin de mode adolescente, elle est entrée dans le monde des variétés sous ce nom de guerre imaginé par Gilbert Flon, son amant puis son agent.

Bilan : ces deux quarante-cinq tours, un projet d'Olympia, quelques tournées en vedette américaine, une troisième place aux meilleures ventes pour *Excessif* ; photographes, autographes, constitution de fan-club, horizon de cinéma ; tout cela prenant prometteusement forme avant la chute suspecte de Gilbert Flon, d'un quatrième étage dans une cage d'ascenseur.

Dès lors : soupçons, enquête, témoins à charge, inculpation, procès, verdict (cinq ans ; circonstances atténuantes), prison, libération pour bonne conduite, disparition.

De la sorte, ayant occupé tout le terrain dans les mensuels de teenagers, puis dans la presse hebdomadaire du cœur, s'étant fait sa petite place dans les rubriques Arts et spectacles des quotidiens, c'est d'en plus en plus noir sur blanc qu'ensuite on l'a transférée des colonnes Faits divers aux colonnes Justice avant qu'elle sombre dans la profonde colonne Oubli.

Qu'a-t-elle pu devenir en effet ? Plus la moindre nouvelle depuis quatre ans. Elle doit en avoir trente à présent. Le parcours perceptible de Gloire Abgrall s'interrompt net le jour de sa sortie de prison, date à partir de laquelle les parents et alliés qui lui restaient n'ont plus jamais reçu le moindre signe d'elle. Elle s'est évaporée dans la nature comme un petit millier d'autres personnes par an qu'on ne revoit jamais. Cependant Salvador et Donatienne ont bon espoir. En attendant que les hommes de Jouve la repèrent, ils mettent au point la forme de leur projet. Précisent l'ordre des documents de vidéothèque, archives, actualités de l'époque, interviews de proches, points de vue de spécialistes – magistrature, santé mentale et show-business.

Naturellement, Salvador n'est pas le premier à souhaiter retrouver Gloire Abgrall. Nombre de paparazzi s'y sont essayés. Sans autre résultat que, pour l'un d'entre eux revenu de tout, l'empreinte de son corps profondément gravée dans le toit d'une 605 stationnée devant la cathédrale de Rouen (Seine-Maritime), au terme d'une chute de soixante mètres.

Après que leur travail s'est achevé, que Donatienne s'est retirée, Salvador fait une fois de plus le tour de son bureau. Avisant, près de son enveloppe, l'opus enregistré de Gloria Stella, il retire un quarante-cinq tours de sa pochette, il dépose *Excessif* sur la platine. Debout près de la fenêtre il aperçoit, sur le boulevard, une femme en cuir en train de s'extraire d'un véhicule diesel. La chanson passe, il écoute les paroles, il fait éclater entre ses doigts les petites bulles en plastique de l'enveloppe, l'une après l'autre, comme il traitait déjà, trente ans plus tôt, en famille en vacances, les petites bulles de varech sur les roches submergées de la presqu'île de Giens (Var).

4

Le matin de ce même jour, la femme qui avait scellé le destin de Jean-Claude Kastner s'éveillait peu avant neuf heures. Elle avait ouvert un œil sur le plafond grisâtre puis, l'ayant reconnu, s'était levée pour enfiler un informe peignoir vert molletonné. Mais aussitôt après, dans le miroir de la salle de bains, c'est son visage qu'elle reconnaissait moins.

Précipiter un homme dans le vide étant de ces choses qui vous feraient oublier de vous démaquiller, c'est un masque rétréci qui lui était apparu dans la glace, pétrifié par la sueur et suffoquant sous le plâtre du fard. Elle avait ravalé son image sans égards, eau froide et savon de Marseille, aussi délicatement qu'on traite une façade au jet sous pression. Ses cheveux étaient loin de faire l'affaire mais elle, qui n'en veut rien savoir, les avait brossés en arrière avec brutalité, donnant au miroir un mauvais sourire en montrant ses dents, qu'ensuite elle brossait non moins violemment. Au point que ses gencives saignèrent, que le manche de la brosse se brisa net entre ses lèvres, et la jeune femme avait juré tout en crachant une mousse rosâtre sur l'émail jaune du lavabo. Puis elle s'était interminablement rincé la bouche avant de se remaquiller à peine plus discrètement que la veille, ayant lié sa chevelure avec un élastique marron. Revenue dans sa chambre, elle choisit vite une blouse bleu ciel imprimée de plumes avec une jupe rouge vif, passant un grand tablier bleu marine par-dessus.

D'un trait, dans la cuisine, Gloire Abgrall vidait ensuite un bol de café. Sur les flancs du bol, des silhouettes de fruits et légumes au pochoir se couraient après sous les ébréchures. Coup d'œil par la fenêtre pour s'informer du temps : tendance gris clair très silencieux. Depuis longtemps les vitres n'avaient plus été faites et l'on ne distinguait pas bien clairement l'extérieur, mais dans la cuisine même on n'y voyait guère mieux comme si l'air non plus n'avait pas été fait. Reposant le bol sur la table, elle regroupait ensuite dans une page de journal quelques déchets alimentaires – croûtons, fanes, épluchures – avant de sortir.

Derrière la maison, le fond de la petite cour était bouché par une remise où stationnait une R5 borgne anciennement blanche et moisissaient quelques pneus déjantés, deux chaises dépaillées, un lampadaire énucléé. Un lave-linge de la première génération, une dernière lessiveuse avant disparition de l'espèce encadraient un clapier dans lequel un lapin, frémissant et charnu, braquait son œil opaque vers le court terme. La jeune femme traversa la cour avec sa nourriture, un petit vent râpeux frôlait ses tempes. Puis, comme elle allait se pencher vers la bête :

– Moi, dit Béliard, je ne désapprouve pas.

Gloire Abgrall tourna la tête et Béliard était là, assis sur son épaule. Tiens, voici qu'il était de retour. Négligemment posé sur l'épaule, jambes ballantes et regard ailleurs, Béliard prenait appui d'une main sur une clavicule, caressant de l'autre son propre menton. Ah, soupira-t-elle, tu es là. Béliard hocha la tête avec satisfaction.

– Et alors quoi ? fit-elle. Désapprouver quoi ?

Béliard croisa ses petites jambes en se fendant d'un rire sec :

– Le type d'hier soir, dit-il, d'autres désapprouveraient. Moi pas. Tu étais dans ton droit, Gloire, tu en as assez vu. On t'en a suffisamment fait voir. Je te le dis comme je pense.

– Je me fous de ce que tu penses, déclara Gloire.

– Je me dois de te le dire, fit observer Béliard d'un ton pincé, cela fait partie de mes attributions. Maintenant, tu en fais ce que tu veux.

Puis il se tut, croisant boudeusement les bras et regardant droit devant lui. Bon, dit la jeune femme, ne fais pas la gueule. Je ne fais absolument pas la gueule, fit Béliard froidement, si tu savais ce que ça peut m'être égal. Allons, dit-elle. Allons, Béliard.

Béliard est un petit brun maigrelet, long d'une trentaine de centimètres et présentant un début de calvitie, une raie sur le côté, une lèvre supérieure et des paupières tombantes, un teint brouillé. Il est vêtu d'un complet de coton brun, cravate violet foncé, petits souliers marron glacé cirés à la salive. Visage veule assez disgracieux quoique expression déterminée. Bras croisés, ses doigts dépassant de manches un peu trop longues pianotent sur ses coudes.

Au mieux, Béliard est une illusion. Au mieux il est une hallucination forgée par l'esprit déréglé de la jeune femme. Au pire il est une espèce d'ange gardien, du moins peut-il s'apparenter à cette congrégation. Envisageons le pire.

S'il en est vraiment un, né trop moche et trop petit pour être officiellement reconnu par une confrérie soucieuse de son physique de cinéma, tout de suite on l'a placé à l'Assistance. A moins qu'on l'ait abandonné sur une aire d'autoroute à l'occasion d'un déplacement, d'une procession, d'un congrès d'anges à l'étranger, cadenassé par son auréole de service à un poteau indicateur. Toujours est-il que très jeune il lui a fallu se débrouiller seul, mettant à profit malgré tout les dons et qualités conférés par sa naissance. Mais ignoré des siens, renié par sa hiérarchie, peut-être même frappé d'interdiction professionnelle, c'est en free-lance qu'il exerce le métier, hors cadre et le plus discrètement possible.

D'ailleurs il n'est pas toujours là, du moins pas toujours physiquement présent : la fréquence et la durée de ses séjours auprès de la jeune femme varient. Parfois il reste absent deux mois, parfois c'est tous les soirs qu'il passe comme au bistrot pour l'apéro, parfois deux heures en plein milieu de la nuit comme chez une fille. Toujours plutôt préoccupé de lui-même, pas trop regardant sur les principes, souvent d'assez mauvaise humeur. Il arrive aussi qu'il observe des horaires de bureau, un petit neuf à cinq de croisière, mais il peut également rester trois semaines terré sur son coin d'épaule, immobile, nerveux, pas bavard, l'air traqué, comme planqué, peut-être objet d'avis de recherche. Bref, il est assez irrégulier. Seule règle générale, il ne se manifeste que lorsque Gloire est seule, ce qui est fréquent depuis quatre ans. Pour le moment, ces derniers temps il n'est pas très assidu. Il ne passe que deux ou trois fois par semaine. Ce n'est pas qu'il fasse grand-chose quand il est là, d'ailleurs, mais enfin il est là.

Pour l'instant il s'éclaircissait la gorge en se tamponnant les lèvres d'un mouchoir en boule. Il paraissait perdu dans ses pensées. Ça t'a fait le même effet ? prononça-t-il d'une voix distraite, sans tourner son regard vers la jeune femme. Qu'est-ce que tu dis, fit-elle sur le même ton, quel effet ?

– Le type d'hier soir, précisa Béliard. Quand tu l'as poussé. Ça t'a fait quel effet ? Rapport aux autres fois, je veux dire.

– Espèce de petit con, souffla Gloire, sale pauvre petit con de merde. On avait dit qu'on ne parlait jamais de ça.

– Je fais mon métier, rappela Béliard.

Comme Gloire se penchait vers le clapier, Béliard pour conserver son équilibre s'était reculé très en arrière de l'épaule, carrément installé sur l'omoplate. Quand elle se redressa brusquement sans prévenir, il manqua basculer cul par-dessus tête mais se rétablit de justesse : ah, grinça-t-il, comme c'est intelligent.

Puis, ayant rétabli son assiette : alors aujourd'hui tu fais quoi ? Tu verras bien, dit Gloire. Je souhaiterais participer un peu aux décisions, déclara Béliard avec force, j'aimerais avoir mon mot à dire. Je suis quand même un peu là pour ça, non ? Elle, s'étant retournée, marchait à présent fermement vers la maison. Mais qu'est-ce que tu fais ? s'inquiéta-t-il. Où tu vas, là ? Je veux pisser, dit abruptement Gloire, et peut-être que je vais chier aussi, je ne sais pas encore. Bon, dit Béliard en détournant les yeux, pinçant et fronçant narines et sourcils, ça va, je me retire un moment. Ça, dit Gloire, c'est une idée. Dès qu'il se fut évaporé, machinalement elle balaya son emplacement du bout des doigts, comme pour s'épousseter bien qu'il n'y traînât jamais rien, Béliard ne laissant pas plus de traces – rognures d'ongle, sueur, débris textiles – qu'il ne pesait, immatériel, sur son épaule.

Il revint s'y poser vers midi, comme Gloire achevait de faire disparaître toute trace du passage de Jean-Claude Kastner. Il l'avait regardée faire en grommelant d'abord sourdement avant de s'enfermer dans un silence méditatif, sans plus délivrer ni avis ni conseil : service minimum. Le jour passait, décrut. En fin d'après-midi Gloire s'était installée sur un pliant, sous le palmier, en vue d'y parcourir des magazines. Garnissant l'hémisphère inférieur de l'arbre, les palmes sèches cliquetaient comme des crécelles ou comme eussent grelotté, du bout du bec, une bande d'oiseaux fiévreux. Pas si facile de lire avec l'autre imbécile assis sur votre épaule et qui, naturellement, lit en même temps que vous. Pas toujours au même rythme, qui plus est : attends un peu, dit-il une fois que Gloire allait tourner une page, deux secondes s'il te plaît. C'est bon, tu peux y aller. Puis, le soir venu :

– Bon, dit-il en frissonnant soudain, je ne devrais pas tarder à songer à rentrer.

– C'est juste, fit Gloire en jetant un coup d'œil sur sa montre, il va bien falloir y penser.

Béliard s'ébroua, s'étira puis se mit à bâiller longuement. Soupirant d'aise ayant bâillé, pas trop l'air disposé à bouger, il considérait le soleil couchant en clignotant des yeux comme s'il s'éveillait, faisant intérieurement le point, se remémorant la suite du programme. Ces derniers temps il s'en allait toujours vers la même heure – quant à savoir où il va, jamais ce sujet n'est abordé. S'il n'était pas incorporel, sans doute réclamerait-il un café, un petit verre pour la route. Mais dans son état de substance jamais à ce jour il n'a manifesté les moindres faim ni soif. Allons, murmure-t-il enfin, je me sauve.

Après sa vaporisation, Gloire passe une soirée coutumière. Se sert un verre de vin, du pain avec du beurre – l'un dur car de la veille, l'autre aussi car sortant du frigo. Boîte de chili au bain-marie puis yaourt aux fruits exotiques qu'elle absorbe debout l'un après l'autre, mécaniquement, sans plus de pause que le ruban de spots, jingles et flashes dévidé par la radio. Parfois elle reprend à voix basse, à l'octave, un des refrains de la radio. Vaisselle rapide avant d'éteindre la radio, d'allumer la télévision qu'elle n'arrive pas à regarder.

Impossible de la regarder, comme si Gloire en avait perdu le mode d'emploi. Un téléfilm démarre, qu'elle se contraint à suivre jusqu'à la fin – mais ce n'était que la fin du prégénérique, le téléfilm ne commence vraiment qu'à présent, c'en est décourageant. Elle tente de se concentrer sur l'intrigue mais en vain : sans qu'en elle rien ne les retienne, les images la traversent comme des rayons X, comme un vent électronique indifférencié, monochrome et lisse, tiède et sourd. Gloire trouve la force d'éteindre l'appareil avant l'hypnose.

Silence. Un regard sur le réveil, qui rampe à contrecœur vers vingt-deux heures. A cet instant, dehors, plus aucun animal ne donne signe de vie, plus aucun véhicule sur la route. Silence étourdissant dans lequel se développent, s'amplifient toute espèce de pensées parasites qui sont un mot, un nom, une ritournelle incohérente de mots et de noms, boucle mélodique insane dont l'écho va et vient, se distord et tourne en rond, comme dans un tambour clos, dans l'esprit de Gloire assise en face de rien. Pour interrompre le système elle rallume à fond la radio qu'elle éteint aussitôt, épouvantée. Elle se lève, elle marche quelques mètres avant de se rasseoir ailleurs, c'est tous les soirs pareil. Vingt-deux heures trente et nulle envie d'aller dormir malgré l'éventail, déployé près de son lit, de somnifères multicolores qui ne demandent qu'à se rendre utiles. Gloire se lève brusquement, empoigne le col de son manteau.

Elle file au Manchester qui est à dix minutes de R5, qui est une sorte de night-club rural comme on en trouve parfois en lisière des sous-préfectures, parfois même carrément en rase campagne, on se demande ce qu'ils font là. Sous une paillotte en dur, ce n'est qu'un bar qui ferme un peu tard, jouxtant une petite piste où ne dansent guère, deux matins par semaine, qu'une femme de service avec un balai. Ce soir il n'y a personne au Manchester à part trois jeunes types occupés à faire assez de bruit près du bar. Les jeunes types se ressemblent comme des frères, ils arborent des bombers et de larges blue-jeans français, cheveux filasse et chemises à carreaux. Ils sont le produit de croisements d'agriculteurs, d'ouvriers et de pêcheurs et deux sur trois sont demandeurs d'emploi, Gloire ne les connaît pas. Elle commande quelque chose à boire, non loin de ces types qui ont eux-mêmes pas mal bu. Comme l'un d'eux, le plus grand, s'adresse à elle un peu familièrement, les deux autres se gondolent derrière. Nous avons cru comprendre qu'elle n'aime pas beaucoup ça.

De fait elle le prend mal et cela pourrait tourner mal, du moins pour le grand type qui vient de se rapprocher, qui entreprend maintenant de la serrer de près. Chance pour lui, point trop loin, l'air de rien, Béliard qui surveille invisiblement tout cela d'un œil ne va quand même pas laisser Gloire déchaîner sa violence pour un oui ou pour un non. Heure supplémentaire et tarif de nuit, mais qu'importe : l'homoncule décide de s'interposer.

5

Donatienne reparut, mourant de soif, dans l'après-midi du lendemain. Le temps avait changé (pluie fine) et Donatienne aussi s'était changée. Cela n'était pas tout de suite perceptible mais, son imperméable tombé, ce qu'elle portait se révéla plus exigu que la veille encore, si court et décolleté que ces adjectifs tendaient cette fois à se confondre, envisageaient de s'installer et vivre à deux dans la même entrée du premier dictionnaire venu.

Salvador dispose, dans un coin de son bureau, d'un petit réfrigérateur contenant ce qu'il faut mais il ne possède, question verres, que des gobelets du genre pique-nique jetables. Et le bruit des cubes de glace dans le plastique est mat, bon marché, sans écho, sans l'allégresse des verres en verre où le glaçon tinte et scintille fièrement, section rythmique du gin-tonic. Tant pis, se résigna Donatienne, Jouve a téléphoné ? Salvador fit signe que non. Appelle-le, conseilla Donatienne. Salvador appela Jouve, mais c'était occupé. Je rappellerai, dit-il.

Déployé devant lui, chemises et sous-chemises éparpillées, s'étalait son projet principal. Les grandes femmes blondes au cinéma, dans les beaux-arts en général et, sous un angle plus vaste, dans la vie. Leur histoire, leur nature, leurs rôles. Leurs spécialités et leur variété. Toute leur importance en cinq fois cinquante-deux minutes. S'il s'agissait, pour l'essentiel, d'un travail de montage à partir d'œuvres existantes, le cinquième volet serait consacré à un cas particulier. On avait cherché l'exemple vivant d'une grande blonde bizarre, on avait fini par se mettre d'accord sur le cas de Gloire Abgrall.

Après qu'on eut envisagé toutes les approches classiques de ce sujet, Gloire incarnait en effet par son parcours, sa vie, son œuvre, un cas d'espèce à l'intérieur du cadre. Elle pouvait représenter l'anomalie, la bizarrerie, l'exemple oblique. Une façon comme une autre d'illustrer la thèse de Salvador selon laquelle les grandes blondes constitueraient un groupe à part, ni mieux ni pire mais spécial, gouverné par des lois spécifiques, régi par un programme particulier : irréductible catégorie d'humanité. Bref, les grandes blondes contre le reste du monde. Conviction claire, postulat évident dans l'esprit de Salvador, mais un peu difficile à démontrer. Chaque jour, de nouveaux arguments se présentaient à son esprit, chaque jour il s'efforçait de les mettre en forme, d'établir le système général de tout cela.

Devant Donatienne, une fois de plus, il s'efforça de préciser sa pensée.

D'accord, fit Donatienne, je vois que ça n'a pas trop avancé. Tu ne veux pas rappeler Jouve ? Il rappela : toujours occupé. Allons-y, suggéra Donatienne, on n'a qu'à y aller. Je conduirai.

On rejoignit la porte d'Ivry pour gagner la rive gauche de la Seine et la suivre en direction de l'Ouest. En voiture avec Donatienne, c'est la vie qui devient décapotable. Comme la veille, elle ne pouvait plus s'arrêter de parler, son discours ininterrompu tenant lieu d'autoradio. D'ailleurs, comme une fois passé le Pont-Neuf on empruntait quelques tunnels, cette série de brefs souterrains froids qui longent le fleuve, à l'entrée de chaque tunnel sa voix s'affaiblissait progressivement, son propos se suspendait jusqu'à ce qu'on en fût sorti – phénomène bien connu par les autoradios. Puis son débit se rétablissait dès le retour au jour mais sans reprendre au point où il s'était interrompu, s'étant poursuivi sous terre en apnée, sans doute à l'état de monologue intérieur. Il revenait ensuite à Salvador de recoller les morceaux, reconstituer la part manquante enfouie.

Dix ponts plus loin, du côté de Bir-Hakeim, on prit à gauche vers le quinzième arrondissement : un boulevard, une avenue puis un lacis de petites rues calmes jusqu'au domicile de Jouve, derrière le Kinopanorama. Une de ces petites rues calmes et distinguées qui savent se tenir, dont aucun des immeubles tirés à quatre épingles, ravalés de frais, n'élève inconsidérément la voix. Parking, digicode, interphone, ascenseur, sonnette, œilleton (deux secondes obscurci) puis verrou.

Puis Jouve, l'air assez fatigué. Ah, dit-il, c'est vous. Voix lente et motricité circonspecte, arrière-plan peut-être anisé. Ses yeux veillaient tant bien que mal au-dessus de leurs lourdes poches, prêts à retourner s'y coucher. Toujours pas de nouvelles de mon bonhomme, prévint-il aussitôt. Mais entrez, entrez. On se transporta dans le salon : papier peint géométrique et vase rose chair contenant une fleur en pot, quelques tableaux aux murs (scène de noce en Charente, portrait en pied d'un macareux), net arrière-plan d'Airwick eucalyptus. A l'entrée de Salvador et Donatienne, madame Jouve en larmes se leva de son coin de canapé pour couper le magnétoscope et salua rapidement avant de se retirer. Salvador l'avait déjà rencontrée, Donatienne entrée après lui n'aperçut qu'une silhouette mince et translucide, hypersensible, hypotendue.

– Elle a regardé la télé toute la journée, s'excusa Jouve. C'est qu'elle est assez émotive sur le feuilleton. Vous prendrez bien quelque chose.

Leur ayant montré deux fauteuils, il se laissa tomber sur l'autre extrémité du canapé, face au téléviseur qu'il désigna d'une brève motion de son menton. Pas toujours les mêmes goûts, soupira-t-il. En effet, de part et d'autre du canapé reposaient deux télécommandes : pendant que Jouve dosait le Ricard, Donatienne se représenta les duels zappés, chaque soir, devant le poste.

– Quand même ça m'étonne un peu, rappela Jouve. Ça ne ressemble pas à Kastner. On va encore attendre un jour ou deux.

– C'est qu'il ne faudrait pas trop que ça traîne, s'inquiétait Salvador. Vous n'auriez pas quelqu'un de plus compétent ?

Jouve se mit à fixer son verre tout en réfléchissant. Son regard se dirigeait toujours très lentement vers les choses puis y adhérait, s'y accrochait, semblait ensuite avoir du mal à s'en décoller.

– Et Personnettaz ? suggéra Salvador. On ne pourrait pas voir avec lui ? Il était vraiment bien, lui.

Jouve continua d'examiner son verre avant d'en détacher ses yeux dans un effort, dans un petit crissement de sparadrap qu'on arrache, pour les ramener vers Salvador.

– Ça m'ennuie un peu de le déranger pour ça, fit-il enfin. Je vais d'abord mettre un autre type sur l'affaire. Boccara, peut-être, je vais l'appeler tout à l'heure. Personnettaz, on pourra toujours essayer de voir ensuite avec lui.

La nuit tombait quand on sortit de chez Jouve. Après qu'on eut pris quelque chose au restaurant de la gare des Invalides, Donatienne retourna chez elle mais Salvador pas. Un taxi le ramena vers la porte Dorée. Plus personne à cette heure-ci chez Stocastic : à la place des réceptionnistes, sous un spot anémié, seul un jeune veilleur de nuit frottait ses paupières sur un polycopié de droit international. Eclairez-vous donc mieux, Lestiboudois, fit Salvador d'une voix paternelle, prenez une lampe. Vous allez vous tuer les yeux, là.

Repassé au bureau dans l'idée de travailler un peu, Salvador renoncerait assez vite à ce projet. A peine se verserait-il un fond de verre qu'il but en se déshabillant, une gorgée, un vêtement, une gorgée, un vêtement, procédant de sorte que le verre et lui-même se retrouvent, au même instant, respectivement vide et nu. Cela fait, il retira d'un placard une couverture qu'il étendit sur le canapé avant de se glisser dessous en compagnie d'un ouvrage intitulé *How to disappear completely and never be found* (Doug Richmond, Citadel Press, New York, 1994). Mais à peine avait-il ouvert ce livre qu'il le refermait, pressait l'interrupteur, et six secondes plus tard il dormait.

6

On peut se représenter le sommeil sous plusieurs formes. Echarpe grise, écran de fumée, sonate. Vol plané d'un grand oiseau pâle, portail vert entrouvert. Plaines. Mais aussi nœud coulant, gaz asphyxiant, clarinette basse. Insecte rétracté sur sa vie brève, dernier avis avant saisie. Rempart. C'est une question de style, c'est selon la manière dont chacun dort ou pas, selon les rêves qui l'éborgnent ou l'épargnent.

Tout le monde dort à présent. Salvador, sur son canapé, médiocrement. Donatienne, agitée, dans son grand lit carré. Jouve auprès de madame Jouve profondément. Jean-Claude Kastner définitivement. Si l'on en croit les tubes de benzodiazépines et de chlorydrate de buspirone disséminés sur sa table de chevet, la femme qui a propulsé Kastner dans le grand sommeil dort, elle, chimiquement. Elle ronflote un peu de temps en temps. Elle a laissé près d'elle une veilleuse allumée, à moins qu'elle ait omis de l'éteindre. Au pied de son lit traînent quelques livres ouverts à plat ventre les uns sur les autres, des romans policiers, des textes de Freud en édition populaire et une série de petits volumes en anglais destinés à l'identification des oiseaux communs, des arbres européens, des fleurs des champs. Non loin dans l'ombre se trouvent encore une flasque de rhum bon marché vide, un litre de sirop de canne à moitié vide, un cendrier plein. C'est ainsi toutes les nuits, rien ne change ni ne devrait changer. Depuis le passage de Kastner, seules deux petites choses ont changé, l'une sur le corps de Gloire et l'autre sur la table.

Sur une cheville de la jeune femme, un large Tricostéril protège une blessure datée de l'avant-veille, alors qu'elle s'occupait de la voiture de Kastner après l'avoir intégralement vidée de son contenu : chiffons, sandows, outils et petites pièces de rechange, vieilles saletés du vide-poches, effets personnels de Jean-Claude Kastner et papiers du véhicule qu'elle avait regroupés dans un carton. Sauf, parmi les outils, la pince et le marteau. Sauf également le pochon dans lequel Kastner rangeait son plan de mission, ses photos et ses cartes routières. Pas mal, ce pochon. Vidé, son contenu brûlé dans l'évier, nettoyé puis désinfecté, le pochon dort à présent sur la table.

Au volant de la voiture ainsi nettoyée, Gloire avait ensuite pris la route de Tréguier, déposé le carton dans un incinérateur communal puis elle était repartie vers le nord, la pince et le marteau posés sur le siège auprès d'elle. Au-delà de Larmor un autre coin de falaise surplombait une fosse très profonde, toujours à flot quelle que fût la marée. Promontoire légèrement pentu, rarement fréquenté, idéal. Gloire avait garé le véhicule face au vide, usant de la pince pour arracher les plaques et du marteau pour effacer les numéros de moteur et de châssis. Puis elle avait baissé les vitres, desserré le frein à main et poussé de toutes ses forces. D'abord en vain. Le véhicule résistait. Puis après avoir bougé d'un cran, lentement d'un autre cran, il avait brusquement accéléré comme de lui-même, pour en finir, et tout s'était parfaitement passé – sauf qu'au dernier moment la jambe de la jeune femme s'était prise dans le pare-chocs, dont une extrémité lui avait entaillé la cheville. Gloire avait crié puis juré grossièrement cependant que la voiture s'abîmait. Penchée, tenant sa cheville d'une main, elle s'était rapprochée du bord en grimaçant puis son visage, progressivement, s'était calmé pendant qu'elle regardait couler le véhicule. Comme sous anesthésie, comme si la chute des corps lui procurait quelque apaisement, comme Anthony Perkins considérant le même spectacle en 1960 – sauf que l'auto de Kastner est une petite Renault beigeasse immatriculée dans le 94, et qui s'immerge docilement sans faire d'histoires, alors que celle de Janet Leigh était une grosse Ford blanche récalcitrante, plaque minéralogique NFB 418.

Puis elle rentra chez elle à pied, boitillant en suivant les chemins côtiers balisés de traits rouges et blancs peints sur les rochers, sur des poteaux. Elle se débarrassa des plaques entre deux blocs, sous un matelas de galets. Rentrée à la maison, elle avait pansé sa cheville et puis, tant qu'elle y était, converti le pochon en nouvelle trousse pour ses médicaments.

Elle dort toujours, elle ne bouge pas dans son sommeil alors que dans son rêve, depuis des heures, elle chevauche une puissante motocyclette. Le jour se lève à peine. Le jour se lève lentement, délicatement, comme un Boeing illuminé quitte une piste en douceur, comme un orchestre à cordes attaque un dernier mouvement.

Mais bientôt ce mouvement s'achève et le soleil, immobile, brille. Gloire descend de sa motocyclette. Elle se dirige vers une cabine téléphonique, c'est alors qu'elle s'éveille. Les yeux grand ouverts elle demeure immobile une minute et puis c'est reparti pour un autre jour : elle se lève et repasse l'affreux peignoir vert. La cuisine, la cafetière électrique. Pendant que le café passe, le regard de la jeune femme tombe sur un papier jaune, verso de prospectus traînant sur un coin de table avec un dessin dessus qu'elle a dû griffonner hier soir, elle ne se souvient pas bien. C'est un embryon de portrait, plutôt tremblé, peut-être même en mettant les choses au pire que c'est un autoportrait. Quel qu'il soit, Gloire le déchire aussitôt en fermant les yeux, le redéchire en carrés minuscules qu'elle va jeter dans la cuvette des WC, tirant la chasse sans les regarder.

Dans la salle d'eau, deux carreaux manquent au pied de l'appareil de douche, un troisième est brisé, ceux qui restent sont grumelés de beige et de brun. Gloire a suspendu son peignoir à la patère vissée derrière la porte. Elle est nue devant le miroir carré au-dessus du lavabo, trop petit pour qu'elle puisse y voir son corps qu'elle n'a de toute façon pas envie de voir, aucune envie de voir ses longues jambes infaillibles, ses seins hauts, ronds et durs et ses fesses hautes, rondes et dures que, fagotés dans le survêtement, Jean-Claude Kastner n'aurait jamais imaginés. Eût-il envisagé un corps pareil, Kastner n'aurait jamais osé se risquer à le désirer.

Elle s'est vite lavée, douche presque froide, avant de se maquiller au ralenti. Une première couche de crème de jour suivie d'un fond de teint presque blanc, uniformément appliqué comme on prépare sa toile. S'étant crayonné l'œil en amande, elle repeint ses paupières en turquoise. Puis s'aidant d'un appareil chromé genre pince à escargots, Gloire accentue la courbe de ses cils avant de les rendre très noirs et très épais au mascara, très gras. Ainsi, bientôt seuls vivent ses yeux dans son visage, seuls ils s'animent dans ce masque immobile : gris-vert, ils passent du vert au gris selon le temps, l'espace, la lumière et les états d'âme. Ensuite, quand elle dessine au crayon rouge le tour de ses lèvres, elle en chevauche l'ourlet puis sature l'intérieur au pinceau. Deux ronds orangés sur les joues, deux coups de crayon bistre aux arcades sourcilières et voilà qui est réglé. De la sorte, sous ce maquillage, Gloire Abgrall pourrait passer pour une artiste de cirque internée pour dépression nerveuse – mais quand même pas encore assez mélancolique pour refuser d'exécuter son numéro dans le cadre de la kermesse organisée, en présence des familles, à l'occasion de la journée portes ouvertes de la clinique.

Femme en fuite, on comprend bien que Gloire souhaite se dissimuler, que ce masque tende à la rendre méconnaissable. Mais on se demande si s'enlaidir ne lui procure pas aussi du plaisir. Ainsi peinturlurée, comme elle détaille son visage dans le miroir jusqu'à ce qu'une envie de vomir lui vienne, en effet la voilà très contente et qui s'exalte, s'esclaffe, grimace, et son contentement décuple quand elle s'entend, dans un registre inhabituellement aigu, prononcer quelques obscénités.

De plus, avec cet excès de fard elle doit déteindre quand on l'embrasse, mais on ne l'embrasse pratiquement pas, elle fait tout pour éviter cela. Certes, il arrive qu'elle s'y trouve contrainte : pour se débarrasser de Kastner, par exemple, pas moyen de faire autrement. Et, de fait, alors cela bave. Kastner ne s'est pas vu, après le baiser, choir dans un vide obscur joyeusement barbouillé de grenat, de vert pomme et de brun.

Maintenant Gloire s'est un peu calmée, elle vient de remarquer qu'un souterrain de clarté dorée menace les racines de ses cheveux ternes. Prévoir teinture en fin de semaine. Changer ce Tricostéril. Trouver un truc à se mettre. Boucler ce bracelet-montre à son poignet : dix heures moins le quart. Tiens, au fait, et Béliard ? Toujours nue comme un ver, Gloire allume une cigarette en même temps que le téléviseur, or la télévision, le matin, n'est pas moins raide qu'un gin à jeun. Mais elle vient s'habiller, devant le récepteur, comme s'il était quelqu'un : elle enfile encore un de ses trucs impossibles, un jacquard à motifs de cristaux de givres et d'oursons verts, jaunes et mauves sur fond chiné, sur un pantalon de survêtement bleu marine serré aux chevilles.

A la télévision, une présentatrice d'informations fait état de ce que les vieillards qui boivent du vin ont des capacités de raisonnement supérieures de 27 % à celles des vieillards qui n'en boivent pas. Un espoir pour les viticulteurs, commente la présentatrice, et Gloire se demande si cette glose relève de l'humour involontaire ou pas. Elle retire ses cheveux en arrière, elle remet ses lunettes, un éclair dur dans son regard traverse les verres, elle fait peur. Un autre flash de soleil pâle traverse la vitre empoussiérée vers le lit défait, rend les draps froissés plus sales qu'ils ne sont. Il fait à présent presque froid dans la chambre. Gloire, sommairement, retape son lit pour réchauffer l'atmosphère. Ensuite elle sort examiner le contenu de la boîte aux lettres : bien peu de choses, prospectus et papiers divers qu'elle jette sans même les regarder, ne conservant qu'une enveloppe à en-tête du cabinet Bardo, rue de Tilsitt, Paris, contenant un chèque signé du nom de Lagrange. Dix heures et demie, onze heures et quart, décidément Béliard est très en retard. A sa place, quelqu'un frappe à la porte-fenêtre de la cuisine : Alain.

Alain, marin retraité dans les cinquante-cinq ans, l'air d'en savoir peut-être un peu moins. Pas grand, trapu, visage en box-calf écarlate, œil bleu Gitanes et court cheveu roux électrique. Vareuse à col en V, pantalon du même bleu délavé. Boite un peu suite à un accident mais demeure stable sur ses courts membres inférieurs.

Alain passe dire bonjour à Gloire de temps en temps, se laisse volontiers servir deux petits verres de rhum, discute avec elle de sujets bénins, la météo, la marée, les gens du coin, les commerçants, parfois il lui apporte un poisson. Un gros, un petit, selon. Quand il sourit, tout se plisse autour de ses yeux. Quoique volontiers bavard il s'exprime sur un ton hésitant, presque interrogatif et, suite à un autre accident, les mouvements de ses lèvres ne sont pas tout à fait synchrones avec ses paroles. Par exemple, il dit :

– Ça se passe bien, Christine ?

– Ça va, dit Gloire, ça va. Un petit café ?

Cette fois, Alain pose sur la table un muge de moyenne dimension, ce n'est pas le meilleur poisson qui soit, le muge, mais bon. Puis il parle du temps qu'il juge normalement de saison, puis de la marée qui était exceptionnelle avant-hier comme on sait, plus de 115, pas loin de 120. Ce phénomène provient, précise-t-il, de l'alignement de la Terre avec la Lune et le Soleil qui est ce qu'on appelle une syzygie. Une quoi ? fait Gloire. Une syzygie, répète Alain qui renverse la tête pour vider plus vivement son café d'un trait. S'ensuivent quelques souvenirs habituels de ses voyages et plus précisément de l'Australie. Australie dans laquelle, assure Alain, voici pas si longtemps encore, on mangeait des côtelettes assaisonnées de confiture. De là bifurque-t-il vers d'autres préparations carnées, généralise-t-il à la viande de consommation, puis à la personnalité controversée du boucher local. Et il est bon, ce boucher ? feint de s'intéresser Gloire qui se nourrit surtout de laitages, de conserves, de légumes, d'un œuf dans une crêpe ou de rien.

– Il sait y faire, dit Alain. Il est bon.

Il réfléchit avant de développer, ce dont profite Gloire pour lui resservir un peu de café.

– C'est bon, développe-t-il, mais comment dire. Les animaux sont toujours un petit peu, par rapport à ce qu'on veut, toujours un petit peu trop vieux, c'est ça. Vous lui demandez de l'agneau, vous aurez presque du mouton.

Gloire sourit, puis ricane nerveusement.

– Vous désirez du veau, poursuit Alain, il vous donne quasiment de la génisse. Il prépare bien les bêtes, rien à dire, mais il aime mieux les prendre un peu âgées.

Gloire s'est mise à rire en silence, par petites vagues irrépressibles qui bientôt gonflent dangereusement, qui montent, s'agitent, déferlent enfin sous le regard incompréhensif du marin. Maintenant Gloire hoquette sans pouvoir s'arrêter. Alain essaie d'intervenir mais elle lui fait, d'une main, désespérément signe de se taire. Arrête, fait-elle entre deux spasmes, arrête, s'il te plaît. Tais-toi. Va-t'en. Troublé par ce tutoiement, l'autre s'est arrêté de parler, l'a regardée curieusement puis a pris le parti de s'en aller. Il sort, il semble réfléchir. Il avait bien compris qu'elle n'est pas tout à fait normale. Mais quand même à ce point.

Il s'en va sur la route, vers son petit domicile qui se trouve non loin. En sortant de la maison de Gloire, dans son trouble Alain n'a pas pris garde à la Volvo 360 gris-bleu métallisé garée devant chez elle. Carrosserie perlée de rosée, vitres étouffées par la buée, il semble qu'il n'y ait personne dedans. Or, équipé d'un carton de Vittel, d'une cartouche de Pall Mall et d'un radiotéléphone, il y a quelqu'un dedans.

7

Ce radiotéléphone grésille mais il fonctionne : ici Boccara, dit une voix. Vous m'entendez ?

– Oui, dit Jouve. Tu as vite fait, dis donc, tu es bien sûr que c'est elle ? C'est bon, je vais communiquer ça au client. Tu ne bouges pas, tu attends mes instructions. Pardon ? Eh oui, je sais bien qu'il fait froid. Couvre-toi bien.

La journée commença vers neuf heures du matin. Climat continental. Après avoir fixé rendez-vous à Personnettaz – midi au bureau –, Jouve avait mis son manteau pour traverser la ville en diagonale sud-ouest nord-est, par le métro. C'est à la station Botzaris qu'il descendit pour emprunter une large rue calme de facture provinciale ornée de platanes, environnée de villas confidentielles, peu passante et peu commerçante : en marchant vers l'antenne de police, Jouve ne longea qu'un modeste salon de coiffure, une pharmacie vide, une école primaire, des sièges d'associations caritatives et d'entreprises tous corps d'Etat.

Humble antenne de police que celle du quartier Amérique. Bâtiment bas sans grâce en mal de ravalement, fenêtres aux grillages oxydés, façade pouilleuse au milieu de quoi les trois couleurs d'un drapeau national malpropre, entortillé sur sa hampe en vieux rideau, se grimpaient les unes sur les autres. Petit commissariat loin des choses de ce monde. N'y devaient être affectés qu'officiers débutants, officiers en préretraite, officiers fautifs et rétrogradés. La porte principale avait une tête d'entrée de service. Jouve la poussa.

On semblait avoir fait un petit effort depuis la dernière fois, racheté des meubles et repeint la réception en vert, de toute façon Jouve ne venait pas souvent. Derrière une sorte de comptoir, un jeune fonctionnaire enregistrait les plaintes sur une grosse machine à écrire d'avant l'électrification. Jouve prit son tour sur un banc en parcourant les affichettes punaisées sur les panneaux de liège, survolant le plan de l'arrondissement, considérant deux avis de recherche dessinés par une main inexperte et prêtant une oreille aux plaignants.

Parmi ceux-ci, brève barbe nerveuse, un pékin déplorait qu'un chauffeur de taxi, sur un chèque de cent francs qu'il lui avait remis, eût après son départ rajouté un gros 5 devant le nombre 100. Vous n'avez pas marqué la somme en lettres ? observa le fonctionnaire. Non, fit confusément l'autre, juste en chiffres. Faut pas faire ça, dit le policier, faut jamais faire ça. De toute façon c'est interdit par la législation fiscale. Ensuite une belle jeune femme permanentée, lunettes solaires, épaules bronzées, genre conductrice de petite Austin, fit part au policier intimidé de la disparition de sa petite Austin. Jouve attendant son tour la considéra sous toutes ses coutures puis, quand ce fut à lui : je viens voir l'inspecteur Clauze, dit-il. Premier étage, bureau 12, dit le policier. Je sais, dit Jouve. On n'avait pas repeint l'escalier.

Ni les bureaux. Du moins pas le 12 dans lequel, fautif puis rétrogradé, l'inspecteur Clauze présentait un faciès ratier de second rôle français. Voix sinueuse et filament de moustache, œil plissé sur sourire de biais qui affichaient le plus franchement du monde une personnalité de faux jeton. Physique de fourbe qui traîne souvent dans les castings : ironiques, obséquieux, éventuellement menaçants, se croyant malins, d'ailleurs l'étant, plus qu'on ne l'imaginerait, mais somme toute pas assez car échouant toujours dans leurs entreprises. Types recrutés pour jouer l'agent de change véreux, l'ancien collègue maître-chanteur ou le beau-frère dans la police. En l'occurrence c'était le beau-frère dans la police. Et comment va Geneviève ?

– Ça va bien, dit Jouve, ça va. Mais tu sais comme elle est émotive.

– Eh oui, fit Clauze avec satisfaction. Et qu'est-ce qui me vaut le plaisir.

Jouve lui parla de Gloire Abgrall perdue dans la nature, il mentionna ses deux identités, Clauze avait d'abord un peu de mal à se rappeler puis :

– La chanteuse, oui, je me souviens du procès. Qu'est-ce qu'elle a pu devenir, après ?

– Eh bien voilà, dit Jouve. Je te pose la question.

Comme d'habitude Clauze commença de battre des bras en levant les yeux au ciel. Toujours pareil, résuma-t-il, tu sais bien que je ne peux rien faire pour toi. Elle a payé, elle a payé. Les personnes disparues, ça se cherche quand c'est mineur, les adultes on ne peut rien. L'adulte a le droit de disparaître.

– Robert, prononça Jouve.

– Même la recherche dans l'intérêt des familles, tu sais que ça ne marche pas. Le gars ne veut pas qu'on sache où il est, on n'y peut rien. Je ne peux rien.

– Oublie tout ça, dit Jouve. Trouve-moi ce que tu peux sur elle, Robert. Trouve-le maintenant.

– Surveille comme tu me parles, se raidit brusquement Clauze, attention. Tu ne peux rien m'imposer.

– Je crois que si, dit Jouve.

– Ne déconne pas, dit Clauze, moi aussi j'ai payé. J'ai failli, on l'a su, on m'a remis à la base. J'ai largement payé.

– Tu sais bien, fit observer Jouve, qu'on n'en a pas su la moitié. Tu sais que j'ai gardé le récépissé.

Bénévolement, afin de combler le silence lourd qui

s'ensuivit, une voiture se dévoua pour passer dans l'avenue du Général-Brunet.

– Un jour on réglera tout ça, dit Clauze venimeusement.

– C'est sûr, dit Jouve, un jour il faudra bien.

Après qu'en sens inverse une autre voiture fut passée dans l'avenue, Clauze finit par se lever – je reviens, je vais téléphoner –, laissant après lui son odeur policière, essence de cantine et de bureau, parfum de taudis et de taules, effluve de galetas, suc de bouge, tout ce qu'un policier traverse, tout ce qu'un policier doit traverser. En attendant son retour, par la fenêtre, Jouve regardait sur un platane une branche battre mollement. Dix heures vingt-cinq.

Clauze reparut le visage apaisé, sans grief apparent, comme réglant une affaire naturelle, un papier à la main toute honte bue. Pas commode à retrouver, dit-il d'un ton détaché, le collègue au téléphone croyait d'abord qu'elle était décédée et puis non. Bref on a trouvé ça, tu peux toujours voir avec ça. Jouve consulta le papier : l'adresse d'un cabinet d'avocats vers les Champs-Elysées. Merci, Robert, dit-il, je n'oublierai pas. Très bien, dit calmement Clauze, et maintenant va crever.

Vers onze heures Jouve retrouva son bureau, un ancien local de syndic d'immeubles, rez-de-chaussée très peu clair avec vitrine peinte en gris sur la rue. Il avait conservé le mobilier d'origine, tubulures et latex dernier choix pas tellement confortable. Guère plus brillant, version petite entreprise privée, que le commissariat du quartier Amérique. Jouve parcourut le journal et rangea des dossiers, Personnettaz parut à midi pile.

Pas grossi, Personnettaz. L'air moins en forme que jamais. Toujours cette apparence peu rassurante de moine-soldat. Jouve lui exposa les faits : la disparition de Kastner, son remplacement par Boccara, la personnalité de Gloire. Elle n'a pas l'air facile, dit-il, le petit ne va pas faire le poids. Ça vous dit de vous en occuper ?

– J'ai un peu de temps devant moi, prononça Personnettaz après un long silence. Dans tous les cas j'aurai besoin d'un assistant.

– Prenez donc Boccara, proposa Jouve, c'est jeune mais ça peut vous faire un bon petit assistant.

Une heure plus tard, dans le hall de Stocastic, l'apparence de Jouve jurait parmi les employés de cette entreprise, et Jouve aussi jurait à leur endroit entre ses dents. Il entra dans le bureau de Salvador alors que celui-ci mettait avec Donatienne au point la prochaine livraison de *La plus belle de la plage.* J'ai ça pour vous, dit Jouve en tendant le papier de son beau-frère. Excusez-moi, mon vieux, dit Salvador, mais là je suis un peu, vous voyez. Je ne suis pas votre vieux, fit observer Jouve. Pardon ? fit Salvador, oh je suis désolé, Jouve, c'est le stress, excusez-moi. (Bon, disait Donatienne, il y a un M. Yvon Querson qui a donné le nom d'une Mlle Annabelle Fleury qu'on a retrouvée.) Ce n'est rien, dit Jouve, tenez. (Qui s'est reconnue, poursuivit Donatienne, qui est devenue Mme Annabelle Schnitzler et qui veut bien venir.) Mais qu'est-ce que c'est ? fit Salvador en parcourant le papier. Mais attendez, Jouve. Mais attendez deux secondes. Mais revenez. (Il faudra prévoir les familles, envisageait Donatienne, on a trouvé quelques amis, on a même retrouvé le CRS qui surveillait la plage.) Et merde, fit Salvador en regagnant son fauteuil après que Jouve se fut retiré, dignité froissée, laissant la porte ouverte.

Salvador relut le papier qu'il rangea dans sa poche, tenta d'y comprendre quelque chose puis : bon, ça va, dit-il, tu me régleras tout ça toute seule. Passons au plus urgent.

Les grandes blondes. Récapitulons. Procédons par auteurs. Nous avons donc les hitchcockiennes. Puis nous avons les bergmaniennes. Puis nous avons celles des films soviétiques, pays satellites inclus. Ensuite je ne vois plus trop. Reprenons. Procédons peut-être géographiquement, plutôt. Principalement américaines, européennes, disons d'outre-Atlantique à l'Oural : les grandes blondes peuplent surtout l'hémisphère nord. Oui. Pas terrible non plus, comme angle. Nous pourrions commencer par un repère classique où tout le monde se retrouve. Disons le triangle emblématique Monroe-Dietrich-Bardot. Est-ce que ce n'est pas un peu convenu ? s'inquiéta Donatienne, est-ce qu'on n'a pas déjà vu ça cent fois ?

Si tu veux, dit Salvador. Bien. On va plutôt s'organiser par personnalités. Oublions ces trois grandes blondes classiques, envisageons les bizarreries. Voyons les cas particuliers, style Anita Ekberg, tu vois, ou Julie London dans un autre genre. Passe-moi le fichier. Voyons. Nous avons les solitaires, les marginales, les ratées. Nous avons également quelques insignifiantes. Il convient de mentionner le cas de certaines marrantes. Nous devrons tenir également compte de la très petite quantité de moches. Comment créer un ordre ? Comment classer tout ça ?

– En fait elle n'était pas si grande que ça, Monroe, fit remarquer Donatienne penchée sur le fichier. Un mètre soixante et un.

– Rien à voir, dit Salvador sans lever la tête, tu ne saisis pas ma méthodologie. Pas forcément besoin d'être grande pour intégrer la catégorie des grandes blondes, pas nécessairement. (Il réfléchit.) Peut-être même, au fond, pas absolument besoin non plus d'être blonde, d'ailleurs. Je ne sais pas encore.

8

Encore une fin d'après-midi, bientôt la nuit. Gloire est assise à la table de la cuisine, les coudes sur la toile cirée, deux de ses doigts tenant une cigarette dont elle frappe l'extrémité plus souvent que nécessaire au bord d'un cendrier publicitaire Martell. Ce soir elle n'est plus fardée, sauf ses lèvres quand même surchargées d'un rouge violent qui rend encore livide son visage. Et reteints en châtain comme prévu, maintenus en arrière par un arceau d'éponge rose, ses cheveux ne sont pas mieux soignés que la dernière fois.

Elle n'est pas belle à regarder mais heureusement, toute seule, personne n'est ici pour la voir. Quand même, que ne s'arrange-t-elle un peu ? On comprend qu'elle ait ses raisons mais elle pourrait peut-être s'acheter un vêtement de temps en temps, qui pourrait la mettre en valeur, non ?

Non. Elle porte son pull à motifs d'oursons givrés, elle est chaussée de tennis blanches et bleues malpropres portant l'inscription *Winning team.* Comme il fait à peine tiède dans la cuisine – juste équipée d'un appareil à gaz au grillage rougeoyant sur lequel court parfois une brève langue de feu magenta, dans un bruit sourd d'appel d'air qui fait légèrement peur –, Gloire a gardé sur elle un blouson de ski bleu roi polyester et coton, doublure polyamide, taille 1.

Il est donc dix-neuf heures, elle est à nouveau seule. Vexé, Béliard s'est retiré après qu'ils se sont encore disputés. Le transistor tourne toujours à bas bruit sur la table, parfois la jeune femme souligne à voix basse trois notes d'une chanson qu'il diffuse, parfois elle pousse une espèce de gloussement qui laisserait supposer qu'elle est un peu ivre, mais non. Dans le verre à moutarde à l'effigie de Bugs Bunny posé devant elle, Gloire n'a trempé ses lèvres qu'une fois.

On n'y voit rien dans cette cuisine avec ces deux appliques anémiques et le segment de néon sur l'évier. On distingue deux fauteuils de jardin déteints rangés tout à trac dans un coin, le réfrigérateur cubique et la cuisinière grasse, le buffet massif, la nappe de plastique à fleurs, et deux cadres au mur contiennent une photo du maréchal de Lattre et trois tournesols en canevas. Les murs n'ont plus de couleur depuis la nuit des temps, Gloire est assise dans l'ombre, comme elle s'ennuie ce soir, oh ce soir mon Dieu qu'est-ce qu'elle peut s'ennuyer.

Quand on lui a remis les clefs de cette maison, Gloire n'y a rien changé, préférant ne plus manifester aucun de ses goûts, qu'elle abdiquait. C'est au contraire elle-même, sa propre personne qu'elle a tâché d'y conformer, se laissant imprégner, remodeler par ce petit logement mal éclairé, médiocrement chauffé, sous perfusion d'un bourg de quatre-vingt-quinze âmes coincé entre un bras de mer et des hectares céréaliers. Face à la nappe, à la photo du maréchal de Lattre, au lieu de remplacer l'une et de retourner l'autre contre le mur, ce sont cette nappe et cette photo qu'elle a laissé retourner et changer, en elle, ce qu'elles voulaient. Plutôt que repeindre la cuisine, Gloire a prié la cuisine de choisir la couleur de son blush-crème et de son eye-liner, dicter le choix de ses vêtements, de ses paroles et de ses intonations, définir l'angle de sa voussure.

La vie de Gloire Abgrall peut ne paraître pas très heureuse, mais c'est elle qui l'a voulue comme ça. Depuis quatre ans qu'elle a désiré disparaître, se rayer de la carte du monde et choisir la clandestinité, elle a pris en ce sens toutes ses dispositions, se fiant à son intuition. Elle a coupé toute relation passée, une deuxième fois elle a changé de nom, se faisant appeler Christine Fabrègue, et transformé son apparence. Elle a réduit au minimum ses relations avec ses voisins, le seul autorisé à la conversation étant Alain. Justement on frappe à la porte et le voilà. Tiens, se dit Gloire, il tombe bien, ce con.

Alain reparaît donc, toujours vêtu de la même vareuse – mais, le temps s'étant rafraîchi, un triangle de laine brune se détache ce soir dans l'échancrure du V. Corps trapu, condensé comme une pile et poil roux électrique, on y raccorde une prise on y brancherait une lampe. Hésitant, il se tient debout dans la porte, un sourire incertain flotte sur ses lèvres, il tient au bout de son bras un crabe en vie gros comme un sac à main. C'est Berthaux qui vient de lui donner ça, indique-t-il, lui-même ne sait qu'en faire, est-ce que ça ferait plaisir à Christine ?

Et d'abord Gloire ne répond pas, considérant avec méfiance l'animal marron clair dont l'antérieur droit, plus volumineux que le gauche, pince et dépince le vide convulsivement, émet des signes. Vous prenez quelque chose, Alain ? dit-elle avec un temps de retard, après que le crabe installé dans l'évier s'est mis à produire de petites bulles de bave. Pas plus mobile qu'un caillou légèrement libre-arbitré, qu'un homme tombé dans son armure et qui veut se relever, le crabe essaie en vain de quitter l'évier. Se mouvant par impulsions latérales maladroites, il dérape contre les parois lisses et retombe sur son flanc en sécrétant son fluide avec un bruit de minéral mou.

S'étant assis, l'ancien marin a repris le récit de ses souvenirs maritimes. Expéditions, voyages, blessures qui pourraient former une longue existence. Il a toujours été marin : l'armée, le commerce, la pêche. Il revient sur ses impressions de l'Australie qui semble, entre tous pays, l'avoir le plus profondément marqué. Cependant le cœur n'y est pas comme d'habitude : Alain marque des silences, adresse à Gloire des regards expectants, sans doute attend-il que la jeune femme le tutoie à nouveau comme l'autre jour.

Comme au bout d'un moment Gloire se lève pour démouler un supplément de glace, Alain la suit d'un regard flou lorsqu'elle se dirige vers le réfrigérateur. Il se lève à son tour et marche derrière elle pendant qu'elle fourgonne dans le freezer. Vous savez que je vous aime bien, Christine, déclare Alain d'une voix étranglée. Gloire ne lui répond pas tout de suite.

– C'est important de s'aimer bien entre voisins, développe l'homme éperdument, c'est bien de s'aimer beaucoup. Comment dirai-je, c'est mieux.

La jeune femme se retourne lentement, sur ses lèvres un large sourire de masque, dans sa main deux glaçons lui brûlent la paume. Qu'est-ce que tu dis, fait-elle. Pas de mal à se faire du bien, bafouille l'homme heureux de ce tutoiement revenu, voilà ce que je voulais dire. Mais qu'est-ce que tu racontes, répète Gloire doucement en s'approchant de lui, prêt à battre en retraite et subitement inquiet. Mais trop tard. Gloire saisissant de sa main libre un bout du col de sa vareuse, l'attire et l'embrasse brusquement, deux ou trois longues secondes, avant de le repousser avec violence. Tire-toi, dit-elle. Tu te tires, maintenant. Comme Alain tente de la reprendre par un bras, Gloire se dégage avant d'abattre sa main chargée de glaçons sur son visage. De ces glaçons vifs, pas encore fondus, une arête écorche le front de l'ancien marin qui recule, portant une main à son visage et regardant la brève traînée de sang sur ses doigts. Puis à peine a-t-il relevé ses yeux sur Gloire qu'elle se précipite en le poussant à coups de pied et coups de poing vers la porte, et cet homme qui a connu la dureté de la vie, le combat contre la nature, l'affrontement physique et l'adversité, recule devant une force inattendue qui le poursuit encore au-delà de la porte claquée sur lui. Il s'enfuit sur la route, vers chez lui, toujours sans prendre garde à la Volvo 360 garée au même endroit que la veille, pendant que Gloire hors d'elle va chercher une hache dans la resserre.

Retour de la resserre, traversant en nage en courant la cuisine, à hauteur de ses hanches elle entrevoit le crabe au fond de l'évier. Se retournant vivement sur lui, d'un coup de hache Gloire le fend par deux. Et pendant qu'elle s'éloigne rapidement vers la porte, les deux moitiés de l'animal continuent de s'agiter faiblement chacune de son côté, dans l'espoir fou de se rapprocher pour se ressouder, environnées de lambeaux de chair transparente.

Gloire rouvre la porte, elle surgit sur le seuil, elle

cherche à distinguer dans le crépuscule la fuyarde silhouette d'Alain qui ne l'a pas attendue. De part et d'autre la route est déserte. Seul objet inhabituel garé non loin de la maison, la Volvo 360 apparemment inhabitée, sur laquelle un instant se pose le regard de Gloire, qui s'en serait aussitôt détaché si ne venait de se manifester, dans l'opacité générale, l'intermittent brasillement d'une Pall Mall derrière les vitres embuées. Voilà que ça recommence, voilà qu'on recommence à l'emmerder. Les yeux de la jeune femme s'étrécissent un instant avant qu'elle se mette en marche, d'un pas déterminé, vers l'automobile.

Depuis l'intérieur de cette automobile, Boccara voit la jeune femme qui s'approche. Hache à la main, visage de méduse, dans l'ombre elle paraît surgir d'un panthéon barbare, d'un tableau symboliste ou d'un film d'horreur. Elle progresse beaucoup plus rapidement que la pensée de Boccara qui, pour le moment, n'a pas l'initiative d'une moindre réaction. Comme il songe à tendre enfin la main vers la clef de contact, la hache vient s'abattre sur le pare-brise qui explose au moment où le moteur démarre. D'une voix déformée, Boccara pousse un cri de terreur inarticulé, passe à toute allure en première avant d'écraser l'accélérateur. Après deux embardées maladroites, Gloire esquivant le mouvement, la Volvo retrouve le sens de la route et disparaît tous feux éteints. Boccara ne songe qu'au bout de cinq cents mètres à brancher les phares. L'air froid s'engouffre à travers le pare-brise absent, cautérisant les petites blessures provoquées sur son visage par les éclats de Securit. Encore heureux qu'il ne se soit pas risqué vers les falaises, nul doute qu'alors il eût plus mal fini. Mais, c'est une chance pour lui, Gloire ne sait nettoyer le monde que par le vide.

9

Tout au long des kilomètres suivants, protégeant ses yeux de l'air vif, posant sur ses petites blessures toutes fraîches la pulpe d'un médius prudent, Boccara jeta d'une voix forte nombre d'imprécations contre Gloire. Inquiet, mécontent, contractant ses mâchoires, endolori par ces blessures dont il n'estimait pas la gravité, Boccara fit montre de pas mal d'invention dans la profération de ses invectives.

Contraint de rouler à une allure réduite, il mit aussi pas mal de temps pour rejoindre Saint-Brieuc. A l'entrée de la ville était ouverte une station-service aux fonctions assez diversifiées pour qu'on pût s'occuper de son pare-brise. Pendant qu'on fixait à sa place un film plastique provisoire, Boccara se rendit aux toilettes pour estimer les dégâts – quatre ou cinq coupures très superficielles, rien de grave. Il s'examina dans le miroir : toujours le même jeune type un peu replet malgré de jolis yeux de fille, l'air avisé, pas assez petit pour être petit, pas assez gros pour être gros, pas encore assez dégarni pour être vraiment chauve mais tout cela viendrait. Tout cela viendrait donc le préoccupait. Car malgré qu'il en eût, sous vingt ans son avenir était sans doute fixé : lotions et talonnettes, anorexigènes, course à pied, rien n'y ferait.

Cependant il s'efforçait de sourire presque tout le temps. Même en cet instant de défaite devant le miroir, seul dans ces toilettes de station-service, battant des cils, l'air de faire bon marché du monde, il poussa son sourire léger, saupoudré d'insouciance et nappé de désinvolture. Il épousseta le revers de sa belle veste bleu de Prusse à reflets violets. Toujours bien habillé, Boccara choisissait avec soin ses vêtements, de l'intérieur desquels il observait d'un œil inquiet la généralité du monde et les vêtements des autres en particulier.

Il regagna la piste de la station-service, régla sa note en exigeant une fiche puis repartit. Sur le chemin du retour, le paysage filtré par le film plastique était flou comme par fort brouillard, d'une mouvance indécise de vieux téléviseur. Empêché d'atteindre sa vitesse habituelle, Boccara prendrait son mal en patience : décontractant ses lombaires, assouplissant ses avant-bras sur le volant, il s'exhortait au calme bien qu'irrité par cette lenteur, par l'hypocrisie de cette lenteur qui feint, majordome de la mort, d'ignorer la brièveté de l'existence.

Trente kilomètres en deçà, Gloire s'efforce également de se calmer. Après le bris du pare-brise et la déroute de la Volvo, elle s'est réfugiée chez elle, portail à double tour et volets verrouillés. Puis elle s'est recluse avec un verre de vin dans la salle de bains dépourvue de fenêtres, fermant la porte derrière elle, allumant le tube fluorescent au-dessus du lavabo. Ce tube, comme nous tous, connaît des réveils difficiles, crachote un peu de lumière en toussotant, bégaie quelques secondes avant de s'illuminer sur toute sa longueur. Ayant baissé l'abattant du WC, Gloire s'est assise dessus, buste penché, tête ballante entre ses coudes posés sur ses cuisses, ses mains se rejoignant devant elle sur son verre. Où en sommes-nous.

A l'évidence on l'a retrouvée. Localisée, reconnue, suivie. Non seulement Gloire n'a pas la moindre idée de l'identité ni de l'intention des hommes qui s'attachent ainsi à sa personne, mais pas la moindre curiosité non plus, la seule question pour elle est de s'en débarrasser. Toute résistance frontale, à terme, paraît vaine : faire disparaître Jean-Claude Kastner n'a pas été utile, faire fuir l'intrus de ce soir ne servira sans doute à rien non plus. On est, semble-t-il, bien organisé. On est obstiné. Il se peut qu'on soit nombreux. On reviendra. Malgré tous les soins qu'elle a pris, la retraite de la jeune femme paraît à présent compromise. Fini l'anonymat, fini la paix, fini le coma social prolongé. Ces hommes à sa poursuite représentent un passé rejeté, mais qui vient de resurgir du fond des temps, propulsé par un gros élastique. D'autres en pareille posture pourraient essayer de s'arranger, de négocier avec ces types, s'informer de leur projet puis réagir en conséquence. D'autres peut-être, Gloire pas. Cette idée ne la traverse pas.

Elle pensait n'être là que depuis un moment, assise sous son néon, quand un premier oiseau se met à gémir en s'étirant, bâille en ouvrant un œil dans le palmier. Revenue dans sa chambre, quatre filaments de jour gris foncé dessinent déjà le cadre des volets. Puis encore un moment plus tard, couchée tout habillée sous une couverture, ses yeux restent ouverts dans l'ombre. Le soleil en se levant la trouve dans un fauteuil de toile au milieu du jardin, sous la même couverture. Béliard apparaît vers neuf heures et demie.

Béliard a l'air fatigué. Pas rasé ni changé depuis la veille. Bien qu'occupée d'autres soucis, Gloire se retient de lui demander où il a passé la nuit, de toute manière il ne répondrait pas. Il semble au demeurant peu loquace, mal en train pour la conversation. On peut le suspecter de ne paraître que pour se reposer un peu, pour somnoler en paix jusqu'à midi blotti, pelotonné sur l'épaule tiède et souple de la jeune femme. Comme celle-ci tente au bout d'un moment de lui faire part des événements de la nuit, l'homoncule ne répond d'abord que par monosyllabes boudeurs à moins que sarcastiques, en tout état de cause dissuasifs. Il semble que ce ne soit pas le jour.

Ce n'est pas d'aujourd'hui que Béliard a l'air hors du coup, inconscient de ce qui se passe et de sa gravité. Mais c'est toujours ainsi : parfois il sait tout ce qui s'est produit en son absence, faisant même état de détails inconnus de Gloire, et parfois il débarque absolument au courant de rien, l'air abruti comme ce matin, il faut tout lui expliquer – certes il n'est pas exclu qu'alors Béliard simule. Gloire agite son épaule pour le secouer un peu.

– Ecoute quand même un peu, dit-elle, ce n'est plus possible.

– Quoi donc, maugrée Béliard. Tant de choses ne sont plus possibles.

– Ils sont repassés, dit Gloire. Un autre type, hier soir.

– Ah oui, fait Béliard en se redressant à peine, claquement de bouche pâteuse plus ou moins informé. Et alors ?

– Je veux qu'on me foute la paix, crie Gloire. Ça va continuer, tu comprends ? Je croyais que ce serait fini après celui de l'autre soir, mais non. Il y en a encore d'autres et ça va recommencer. Je ne veux pas qu'on recommence à m'emmerder. Tu peux comprendre ça ?

– Bien, dit Béliard, bien. Calme.

Puis elle plonge son visage entre ses mains :

– Je veux qu'on me foute la paix, dit-elle encore mais sur un autre ton, d'une voix de parachute en vrille.

Les deux ou trois minutes qu'ensuite elle sanglote, Béliard lui tapote mécaniquement l'épaule en jetant un coup d'œil inquiet alentour, au cas où les cris de la jeune femme auraient alerté l'attention. On va réfléchir, dit-il, on va trouver une solution. C'est tout réfléchi, finit-elle par souffler dans ses mains. Qu'est-ce qui est tout réfléchi ? fait Béliard. Mais elle hausse les épaules sans répondre.

– Qu'est-ce qui est tout réfléchi ? insiste l'homoncule.

– Rien, dit-elle au bout d'un moment. Et de toute façon je ne peux pas.

Elle s'est mouchée, elle a cette voix de colère désespérée, désabusée, que peuvent prendre les petites filles en larmes, courageuses mais revenues de tout. De toute façon, dit-elle encore, ce n'est même pas possible.

– Bon, dit Béliard, qu'est-ce qui n'est pas possible ?

Qu'elle ne réponde pas tout de suite indique peut-être qu'elle n'ose pas. Bien qu'elle rudoie Béliard, bien qu'elle se plaigne souvent de sa présence et parfois même souhaite son départ, il semble que Gloire ait toujours besoin de son avis, de son accord et même de ses encouragements. Mais d'abord, cet avis, Gloire craint qu'il soit négatif, ensuite elle trouve cette dépendance humiliante mais enfin :

– Je veux m'en aller, dit-elle doucement. Je voudrais m'en aller.

Béliard établit un silence de clinicien.

– Je voudrais bien partir, répète Gloire en relevant la tête. Mais pas possible, hein ?

Nouveau silence, puis :

– Ma foi si, dit calmement Béliard. Ça devrait pouvoir se faire. Pour ma part je n'y vois pas d'obstacle.

– Tu crois ?

– Bien sûr, répète Béliard, bien sûr. Personnellement je n'y trouve aucun inconvénient.

Gloire considère avec scepticisme l'homoncule qui poursuit :

– Pas seulement que c'est possible, s'échauffera-t-il progressivement, c'est même que c'est souhaitable. Tu as expié, ça va, tu en as assez fait. C'est bon. Tu peux y aller. Tu fais comme ça : tu récupères tes biens, et puis tu files sous les tropiques au loin.

– Non, prononce Gloire incrédule.

– Si, mais si, fait Béliard. Si je te le dis.

– Bon, dit prudemment Gloire au bout d'un petit moment. Bon, je fais comme tu dis. C'est ça que tu as dit, hein ? Les tropiques au loin ?

– C'est cela même, dit Béliard. Et je t'accompagne.

– Attends un instant, se ravise Gloire, attends un petit instant. Je peux parfaitement partir toute seule.

– Tu rigoles, dit Béliard. A nous la belle vie.

10

– Bref, elle est cinglée, conclut Boccara en palpant précautionneusement les confettis de taffetas éparpillés sur ses petites coupures.

– En tout cas, dit Jouve, elle sait se défendre, on dirait.

– Marrez-vous, protesta Boccara. Combien de temps ça va mettre pour cicatriser ?

– Rien du tout, dit Jouve, l'affaire de trois jours. Dites que vous vous êtes coupé en vous rasant. Vous pensez quoi de tout ça, Personnettaz ?

Depuis le tabouret latéral qu'il occupait, Boccara jeta un œil intimidé sur Personnettaz, raidement assis dans un fauteuil devant le bureau de Jouve : sujet maigre et farouche, austère quoique bizarrement déguisé en assureur de fantaisie, costume sable et chemise tête-de-nègre avec cravate vert clair. Cheveux cuivrés, presque roux, taillés comme dans les casernes, joues creuses et front plissé ; deux longues rides parallèles à l'axe maxillaire pouvaient passer pour des balafres, des scarifications initiatiques, et son regard gelé pouvait faire peur à Boccara. Son visage reflétait une préoccupation majeure à moins qu'une grande souffrance morale à moins qu'une maladie chronique, un ulcère ou quelque chose. Il était attentif et grave comme chez son docteur. Il n'avait rien dit jusqu'ici.

– Ça paraît bien peu de chose à première vue, dit-il enfin sans remuer ses lèvres.

– Vous plaisantez, dit Boccara, elle est dangereuse. Elle est totalement cintrée.

– Ça me paraissait peu de chose aussi, dit Jouve, je sais. D'abord je n'ai même pas voulu vous déranger. Mais maintenant c'est l'histoire Kastner qui me chiffonne. Presque une semaine sans nouvelles de lui, c'est embêtant. Je veux savoir ce qui s'est passé. Je ne voudrais pas qu'elle lui ait fait du mal, je suis quand même l'employeur. Ce n'est plus seulement pour le client qu'on doit la chercher, maintenant. Alors quoi, vous voulez bien vous en occuper ?

– Vous savez comment je procède, dit Personnettaz, je ne fais rien sans un assistant. Or j'ai perdu mon assistant. J'en cherche un autre.

– Prenez donc Boccara, suggéra Jouve, il ne demande pas mieux. Il est très bien.

– Mais oui, s'exclama Boccara, choisissez Boccara. La qualité complète, zéro défaut. N'hésitez pas avant de dire bien sûr.

Personnettaz posa sur lui le même regard également froid que sur toute chose, regard technique et désaffecté de qui estime une distance sur un champ de tir. Bon, dit-il en consultant sa montre en fer, on va essayer. On repart là-bas dans trois heures. D'ici là je dois repasser chez moi.

Et peu après il remontait, au-delà des Batignolles, la fraction de rue de Rome qui longe et surplombe les voies de chemin de fer affluant à la gare Saint-Lazare. En contrebas de la rue couraient parallèlement une vingtaine de rails que dominaient à pic de hauts immeubles et où des trains, de temps en temps, passaient. Rivetées au grillage protecteur, des plaques émaillées interdisaient çà et là de toucher aux fils électriques (danger de mort) et de jeter des ordures sur les voies.

Quittant le trottoir de la rue de Rome, Personnettaz prit à droite par le pont Legendre, suspendu sur trente mètres au-dessus des voies par une structure de croisillons en fonte. Comme il atteignait le milieu du pont, parut le petit convoi de quatre wagons argentés qui assurent la liaison de Rouen à Paris : semblant façonnés en fer blanc, ils filaient sur leurs rails selon un axe nord-ouest-sud-est. Personnettaz empruntant pour sa part le pont dans l'axe sud-ouest-nord-est, les parcours de l'homme et du train se croisèrent à angle droit et, l'espace d'un centième de seconde, le corps de l'homme se trouva superposé à celui de la femme, à l'intérieur du train, qu'il venait de s'engager à chercher.

Après son entretien avec Béliard, Gloire avait rapidement organisé son départ. Liste des choses à faire. Ménage et rangement le matin, nettoyage des restes de crabe et mise à mort du lapin. L'après-midi, regroupement de ses accessoires et de ses vêtements qu'elle avait d'abord essayé de trier avant de les entasser dans un sac en polyuréthane aussitôt déposé près du portail, à l'emplacement convenu des poubelles. Rédaction d'un mot pour la propriétaire, qu'elle posterait accompagné d'un chèque et des deux trousseaux de clefs. Achat d'une bouteille de cognac. Préparation du lapin marengo.

Tôt le lendemain matin, elle avait pris le premier train pour Rouen, puis l'autobus vers une maison de retraite aménagée dans un ancien couvent de la banlieue rouennaise. Après un peu d'attente au bout d'un couloir, un vieillard bien mis, frais comme un gardon, s'était présenté au bras d'une nurse. Gloire l'avait embrassé. Mademoiselle, avait dit le vieillard, vous êtes absolument charmante mais je ne crois pas que nous ayons encore été présentés. La nurse en arrière-plan secouait la tête. Tiens, papa, avait dit Gloire, je t'ai apporté du cognac. La nurse en arrière-plan secoua la tête dans l'autre sens. Vous êtes infiniment aimable, s'était enthousiasmé le vieillard, mais je crains assez qu'on me le confisque. Puis elle avait regagné la gare et pris ce deuxième train vers Paris-Saint-Lazare. Elle revenait, à présent. Elle rentrait.

Elle avait conservé son apparence misérable et, malgré son billet de première, conservé ses vêtements de dernière classe. Son sac de voyage était presque vide, ne contenant qu'une belle somme d'argent en coupures de cinq cents francs, qu'elle s'en fut une fois recompter dans les toilettes du train. Elle se considéra dans le miroir, les épaules en avant, l'air buté. Cela suffisait à présent, elle s'était assez vue comme ça – mais c'en serait bientôt fini de cette allure. Patience, ma vieille.

Gare Saint-Lazare, comme elle passait dans le champ des caméras de surveillance, elle aperçut encore sa pauvre silhouette, en pied cette fois, sur les moniteurs de contrôle fixés au-dessous des panneaux d'affichage : longtemps qu'elle ne s'était plus vue sur un écran. Gloire ne s'y était pas regardée souvent de toute façon, le temps de sa petite célébrité instantanée, couchée comme un soleil à peine levé. A la télévision ç'avaient d'abord été trois ou quatre émissions de variétés jamais rediffusées, le temps d'exécuter en play-back *Excessif* suivi d'*On ne part pas* puis aussitôt après, au moment du procès, quelques rapides apparitions en fin de journal, toujours dans les mêmes rubriques Faits divers et Justice. Après cela jamais elle n'était repassée dans un téléviseur. Ne s'y était jamais revue que dans les zones électroménagères des grandes surfaces, sur les écrans de matériel vidéo en démonstration pour les particuliers, ou dans le métro, juste avant son départ de Paris, sur les écrans témoins qui montrent aux conducteurs de rames les allées et venues, sur les quais, de ces particuliers.

Mais désormais Gloire éviterait le métro. Un taxi la conduisit vers un petit hôtel calme dans une petite rue calme en marge de Montparnasse. L'hôtel n'avait pas l'air d'un hôtel, à mi-chemin de la pension de famille et de la maison de rendez-vous. Pas de réception à proprement parler mais un salon dans lequel une dame discrète et distinguée, tailleur et collier de perles, lui remit une clef sans formalité – pas de numéros non plus sur les portes des chambres. Gloire déposa son sac et sortit aussitôt, puis descendit la rue de Rennes à pied.

Vers Sèvres-Babylone, trois ou quatre heures d'après-midi lui suffiraient pour se reconstituer une garde-robe sans s'occuper des prix : un imperméable et deux jupes, deux pantalons, quatre plissés infroissables japonais, deux paires semblables de sandales de corde à semelles compensées. Puis en passant devant chez Guerlain elle entra se procurer quelques produits légers, presque aucun fard, tonic et lait démaquillant, petit spray de Jardins de Bagatelle. Rue de Grenelle, enfin, Gloire acheta deux coûteux sacs de cuir où serrer ses nouvelles possessions.

Rentrée se changer à l'hôtel, à peine maquillée, un

second taxi la déposait plus tard dans le quartier des ministères, devant un élégant immeuble bas, sans enseigne indiquant sa raison sociale. Deux boules d'arbuste encadraient une porte en verre translucide et fer forgé. Après qu'elle eut endossé un peignoir blanc au rez-de-chaussée, monté une volée d'escalier, l'homme à l'étage eut une mimique soucieuse en la voyant qui s'avançait mais il ne manifesta nulle surprise, il ne poserait aucune question. C'est moi, dit Gloire. Bien sûr, dit l'homme, je vois.

César de son nom de peigne, grand oiseau pensif à lunettes de fer et crâne rasé d'atomiste, lui désigna un fauteuil. Installez-vous, dit-il, je suis enchanté de vous revoir, je vous fais servir un café ? Elle prit place devant un miroir et César, sans d'abord émettre le moindre commentaire, passa trois doigts dans sa chevelure, soulevant une mèche, en soupesant pensivement une autre et réservant son diagnostic. Seigneur, fit-il enfin d'un ton navré. Vous ne vous les seriez pas coupés vous-même, la dernière fois ? Gloire hocha la tête en souriant. Bien, dit César. Alors ? J'essaie d'arranger les choses telles quelles, ou bien on reprend tout à la base ?

– Tout à la base, dit Gloire, tout comme avant. La même couleur qu'avant.

Il la regardait, debout derrière elle, droit dans les yeux dans le miroir, ayant posé doucement ses mains sur ses épaules. Ça fait combien de temps ? fit-il doucement, trois ans ? Quatre, dit Gloire. Ces yeux posaient sur elle un regard affectueux démonté, puis discrètement remonté en regard ironique. Vous n'avez pas du tout changé, dit-il. Bon, je ne parle pas des cheveux, naturellement. Il saisit une paire de ciseaux.

Une heure et demie plus tard, le soleil va se coucher quand Gloire traverse la Seine par le pont de la Concorde avant de remonter les Champs-Elysées à pied. La lumière est soyeuse et blonde, et Gloire aussi. Elle est revenue à l'état de grande blonde, elle se tient droite, elle n'a presque plus l'air folle, les hommes se remettent à se retourner sur son passage.

Rue de Tilsitt, entre l'ambassade de Belgique et l'ambassade du Zimbabwe, le cabinet Bardo, avocats associés, occupait tout un deuxième étage. Moquette brune, art abstrait dans l'entrée. Ayant demandé à rencontrer maître Lagrange, Gloire patienta quelques minutes, seule dans un salon assez vaste pour produire un écho. Parut un jeune avocat très nerveux, de petite taille, austère comme un formulaire et qui pria sobrement Gloire de le suivre jusqu'à la porte capitonnée de son bureau mais qui, celle-ci refermée, se mit à danser frénétiquement autour de la jeune femme, renversant la tête et battant l'air avec ses bras, tout en s'exclamant dans le tempo qu'il y avait si longtemps, qu'il était si content, qu'elle n'avait pas du tout changé. Gloire sourit, les avis concordaient.

Lagrange se calma très progressivement, comme

très progressivement cesse de rebondir une superballe, avant de se poser derrière son bureau où, quelques minutes encore, sur son fauteuil il rebondit decrescendo. Même après qu'il s'est apaisé, Lagrange demeure un homme essentiellement fébrile, monté comme Donatienne sur batteries surpuissantes et fourmillant de tics faciaux ; sous l'effet de cette agitation, ses petits complets cintrés s'usent plus vite sur lui que sur les autres. Quatre ou cinq fois, six ans plus tôt, Gloire se rappelait avoir partagé son lit : toute la nuit il était partout à la fois. De fait il est plutôt un avocat sans causes, n'en cherchant pas outre mesure, assez d'argent derrière son dos pour n'essayer de monter que des opérations incertaines et roulant en Opel. Mais honnête. Avec Gloire, en tout cas. C'est à lui qu'il revient, gracieusement, de gérer les biens de la jeune femme et de surveiller ses intérêts. Ma petite Gloire, dit-il, je suis là, tu sais que je suis là. Je Suis Là. Il la connaît depuis l'enfance ou presque, il est le seul à peu près au courant de tout. A l'opposé de César, il pose beaucoup de questions, libre à Gloire d'y répondre comme elle veut.

Mais pour l'heure, c'est surtout partir qu'elle veut.

– Où ? demande Lagrange.

– Le plus loin possible, dit-elle.

– Le plus loin possible, répéta rêveusement Lagrange. A part la Nouvelle-Zélande, l'Australie, je ne vois pas.

Défilèrent alors dans l'esprit de Gloire, à l'accéléré, les récits australiens d'Alain. Faune, flore, aborigènes, pêcheurs de perles ; steaks à la confiture et pensée primitive. Bon, dit-elle, va pour l'Australie. Tu es sûre que tu en es sûre ? s'inquiéta Lagrange. Oui, dit Gloire, et je voudrais aussi de nouveaux papiers d'identité. Trouve-moi un autre nom.

L'argent, d'abord, dit l'avocat en extrayant divers documents bancaires du dossier de Gloire. Il ressortit de cet examen que, premièrement, répartie en actions, obligations, studios en location, Gloire était à la tête d'une assez conséquente fortune. Et deuxièmement que ce capital s'était même arrondi ces derniers temps, les mensualités virées par Lagrange en Bretagne étant bien inférieures aux intérêts de ces placements. Parfait. A cela Gloire répondit, premièrement qu'elle aurait besoin de sommes bien plus élevées pendant ce voyage. Et deuxièmement que non, rien de changé dans sa vie, pas spécialement de nouvel homme, elle avait simplement envie de bouger. Elle s'abstint de mentionner la visite de Kastner et ce qui s'était ensuivi. Parfait.

Puis ils examinèrent l'avenir australien. Lagrange s'occuperait de tout : billets d'avion, visas, virements, réservations, poste restante. Et puis pense à mon nom, rappela Gloire, mes papiers. Bon, dit Lagrange, c'est toujours compliqué mais je vais m'arranger. Qu'est-ce qui te ferait plaisir, comme nom ? Comme tu veux, dit Gloire, à toi de voir. Bon, dit Lagrange, je t'invite à dîner ?

Béliard, toute cette journée, ne s'étant pas manifesté, Gloire se sentait plus disponible après le dîner pour aller boire un verre et puis un autre verre et puis un dernier verre avec Lagrange et puis de fil en aiguille le sperme de Lagrange, mais elle regagna son hôtel assez tôt, se coucha très vite en imaginant le bout du monde. Se représentant au bout de ce bas monde une retraite introuvable, inviolable, hors d'atteinte. Une poche de marsupial au fond de quoi se blottir et puis hop, hop toujours plus loin vers l'horizon meilleur pour oublier jusqu'à son nom, tous ses noms.

11

Il n'en serait rien. Gloire ne verrait là-bas nul kangourou ni koala ni rien. Juste un soir, dans un caniveau d'Exhibition Street, elle apercevrait une dépouille d'opossum gisant entre le pare-chocs avant d'une Holden Commodore et le pare-chocs arrière d'une Holden Apollo.

Elle avait emprunté le vol Paris-Sydney, via Singapour et Djakarta, qui continue ensuite vers Nouméa. Dans cet avion, libérés de leur devoir militaire, vingt conscrits néo-calédoniens rentraient chez eux. Adieu caserne humide, adieu brutal climat : les jeunes gens célébraient abondamment la quille par exclamations, libations, discours, chants. Dès que rendus à la vie civile, ils avaient troqué leurs effets militaires contre des uniformes de fantaisie d'inspiration rastafarienne : galons et fourragères contre pendentifs et badges représentant l'Afrique, une feuille de chanvre ou Peter Tosh ; calots kaki contre amples bonnets de laine en forme d'omelette à vingt-quatre œufs, tricolores vert-jaune-rouge, tricotés à la main. La joie de revoir leur pays pouvait se traduire par quelques exactions mineures. Ainsi, quand défilait le chariot de boissons poussé par une hôtesse, c'est d'une main qu'ils raflaient toute une gerbe de bourgogne et de bordeaux puis, une fois le chariot passé, c'est de l'autre qu'ils claquaient affectueusement le fessier de l'hôtesse qui se raidissait légèrement sous l'impact, puis se retournait à demi dans un sourire contraint. Calme, calme, intervenaient alors, débonnaires, les deux sous-officiers chargés d'encadrer les démobilisés. Mollo, les gars.

L'un des sous-officiers se trouvait justement assis à côté de Gloire. Natif de Wallis et Futuna, c'était un sergent-chef massif qui débordait de son siège en s'endormant mais qui, à l'état de veille, lui fit un peu de conversation. Sourire paisible et cou de taureau, buveur d'eau, le sergent-chef avait pris part à toutes les expéditions militaires nationales depuis vingt ans : des Comores au Liban, du Niger au Gabon, du golfe Persique à la mer Rouge. De ses missions au Tchad il conservait une impression mêlée, ayant chaque fois dû soutenir des camps antagonistes. L'autre sous-officier, qui plut tout de suite à Gloire, était un beau grand nègre au regard profond que le sergent-chef lui présenta comme boxeur poids lourd de l'armée française. Espoir dans sa catégorie. Gloire lui adressa donc un regard plein d'espoir. Le transfert des renvoyés dans leur foyer requérait de tels calibres, expliqua le sergent-chef, faute de quoi, livrés ivres à eux-mêmes, ils ne manquaient pas de créer des incidents diplomatiques aux escales.

Vint l'heure des plateaux-repas. Gloire mangea ce qu'on lui donna, but ce qu'elle voulut, même après que les lumières se furent éteintes et que la projection du film eut commencé. Les passagers avaient cloué leurs écouteurs dans leurs oreilles, sauf Gloire et quelques autres qui, sans autre bande-son que les moteurs, surveillaient distraitement une revue sur leurs genoux. Deux heures plus tard, tout le monde dormait, même les conscrits s'étaient calmés. Discrètement, Gloire se leva pour se rendre aux toilettes, déposant au passage un regard sobre mais précis sur le beau poids lourd de l'armée française, qui l'y rejoignit vingt secondes plus tard et lui tint compagnie vingt minutes. Plus tard, de Singapour, elle ne visiterait que les boutiques hors taxe de l'aéroport, le temps que des locaux vêtus de vert pomme désinfectent le Boeing, puis à l'escale de Djakarta Gloire endormie ne verrait rien du tout.

L'heure est toujours approximative sur les vols long-courrier, on ne sait jamais trop où on en est parmi les fuseaux horaires. Par contre, vers la porte Dorée, il était dix-sept heures précises quand Jouve, revenant de l'adresse indiquée par son beau-frère, rendit visite à Salvador. Celui-ci n'était pas très attentif, occupé par la mise au point d'un thème central (grandes blondes chaudes et grandes blondes froides) de son projet.

– Un nommé Lagrange, dit Jouve. Il n'a rien voulu dire, il prétend qu'il ne la connaît pas, il me fait le coup du secret professionnel, tout ça. Mais je suis sûr qu'il sait des trucs. Je vais peut-être procéder autrement.

Mais Salvador, pressé de voir Jouve disparaître : c'est bon, lui dit-il, vous faites comme vous voulez. Jouve disparu : tu notes, dit-il à Donatienne. Allons-y.

Certaines grandes blondes incandescentes s'élancent bras ouverts au-devant du monde. Elles parlent vivement, rient légèrement, pensent vite et boivent sec. Elles regardent fièrement le monde, elles lui adressent des sourires terribles et généreux. Parfois le monde se trouble à leur vue, parfois il est intimidé par cette façon sûre, certaine et décolletée de s'élancer vers lui, vers vous, bras grand ouverts en direction des vôtres. Gaieté, redoutable gaieté de ces grandes blondes solaires.

– Tu pourrais noter Kim Novak en marge, par exemple. Qu'est-ce qu'on a comme photos de Kim Novak ?

On possédait plusieurs photogrammes de la scène du clocher dans *Vertigo,* parmi lesquels un plan vertical de la cage d'escalier (combinaison de travelling arrière et de zoom avant), mais Salvador est lui-même très sensible au vertige, à ce point sensible que le moindre cliché d'à-pic en plongée lui donne la nausée. Non, dit-il, trouve autre chose. On va s'arrêter là pour aujourd'hui. Bon, dit Donatienne, et les froides ? Pardon, fit Salvador. Les grandes blondes froides, précisa-t-elle, tu n'as traité que les chaudes pour le moment. Nous verrons plus tard, dit Salvador. Pas tout en même temps.

Un peu plus tard, arrivée à destination, nous verrions Gloire installée dans un hôtel vers Darling Harbour où, par un télex de Lagrange, lui était réservée une chambre avec terrasse donnant au loin sur la baie de Sydney. Pour atténuer le malaise du décalage, elle y avait d'abord dormi quinze heures de rang puis, dès son réveil, elle s'était installée sur la terrasse, y passant le plus clair de son temps dans un transatlantique en compagnie de Béliard.

Celui-ci, qui ne s'était plus manifesté depuis la transformation de Gloire, était reparu dès qu'elle s'était retrouvée seule dans cette chambre. L'inspectant de la tête aux pieds : ah, s'était-il exclamé, décidément je t'aime mieux comme ça. Les premiers jours, en chemisette et bermuda, installé de tout son long sur le repose-pied du transat, l'homoncule paraissait en pleine forme. Chaussé de lunettes noires à sa mesure, il se coupait les ongles en sifflotant, considérant la baie que sillonnaient de gros ferries métalliques foncés bringuebalants. Bains de soleil sous écran total.

Car le soleil australien n'est pas un soleil comme les autres. Il vous brûle avant de vous réchauffer, chalumeau vengeur même par temps frais. Et son parcours aussi n'est pas commun : levé d'un bond, calcinant tout sur son passage à toute allure, il fonce se coucher à l'heure pile en dix minutes, sans crépuscule ni quelconque protocole, puis la nuit tombe comme une pierre. En renouvelant les boissons fraîches, les garçons d'étage incitaient Gloire à la prudence, lui conseillaient de se protéger, réglaient l'ouverture de son parasol. On sortait peu. Tout allait bien.

Pourtant, moins d'une semaine après leur arrivée, il parut que Béliard commençait de s'impatienter. Son humeur semblait avoir viré. Il répondait à peine quand Gloire lui adressait la parole, donnait moins souvent son avis sur le temps. Puis un après-midi, lorsqu'il ouvrit la bouche, ce fut pour arguer de ce qu'il en avait un peu marre de ce putain de soleil et proposer qu'on aille faire un petit tour dehors, qu'on laisse un peu tomber cette putain de terrasse. D'accord, dit Gloire. Mais, dehors, la question du soleil se posait tout autant. Béliard toujours invisible aux yeux des mortels, Gloire et lui n'avaient pas fait cent mètres vers le port de plaisance qu'ils s'effondraient dans le premier fauteuil et sous le premier parasol venus, dépendances d'un office de milk-shakes. Gloire au bout d'un moment s'y était assoupie. Lorsqu'elle rouvrit les yeux, Béliard n'était plus là : il semblait qu'il eût profité de l'air libre et du sommeil de la jeune femme pour s'éclipser. Comme s'il avait besoin de ça, s'étonna-t-elle en rentrant à l'hôtel. C'est donc toute seule qu'elle y passerait les jours suivants.

12

– A tes souhaits, dit Personnettaz.

– Je suis en train d'attraper froid, moi, fit observer Boccara tout en se pressant les ailes du nez.

– On perd un temps fou, remarqua Personnettaz. C'est contrariant.

– Mais nom de Dieu, cria Boccara, qu'est-ce que ça résiste. Ça m'a l'air complètement coincé.

– Il nous faudrait du dégrippant, dit Personnettaz, ou peut-être un peu d'huile. Ou de l'antigel, peut-être. On n'aurait rien de ce genre, dans le coffre ?

Pour toute réponse Boccara grimaça d'un cran supplémentaire, haussant une épaule déjà presque démise par l'effort. Autant qu'il pouvait, Boccara pesait sur la manivelle mais les écrous semblaient soudés aux pas de vis, rivés aux tiges filetées. La fine pluie froide se mêlait à sa sueur tiède, cocktail thermique et sapide qui brouillait son regard, coulait sur ses yeux vers ses lèvres : tout conspirait contre son projet de changer cette roue arrière droite.

Manivelle en main, Boccara se tenait agenouillé devant son pneu crevé, dont la jante laissait déborder de flasques sections de flancs. Sur ses paumes obscurcies de cambouis dès qu'il s'était saisi du cric naissaient aussi maintenant quelques ampoules. De tout son poids le jeune homme forçait sur son outil, se redressant parfois pour tâcher de décoincer le système à grands coups de pied, vainement : se détachant alors de l'écrou, la manivelle bondissait bruyamment dans le décor où Boccara partait la récupérer en jurant, éparpillant les accessoires gisant à ses côtés.

Personnettaz et lui se trouvaient au bord d'une grande route rapide à six voies – deux fois trois séparées par une médiane ensemencée de plantes comateuses et bordée de garde-fous tuméfiés –, coupés du monde par un grillage entre les mailles duquel voletaient des lambeaux de matière plastique, d'étoffe et de papier souillés, froissés, agglutinés au pied des poteaux. Au-delà de cette frontière, le monde ne se décidait pas entre l'état de friche et celui de chantier. Pas d'être humain en vue à pied.

Plus tôt qu'à l'accoutumée, sous une lumière de fer, les usagers de la voie rapide avaient branché leurs phares dont les faisceaux obscurcissaient encore l'état du jour. Miaulements des véhicules et chuchotis de leurs pneumatiques sur le revêtement dérapant, rafales intermittentes et froid dans le dos. C'était mardi, midi moins dix.

Debout derrière Boccara, maintenant un léger parapluie à système, Personnettaz s'efforçait d'abriter le jeune homme et lui-même – tâche compromise par le diamètre insuffisant du parapluie, secoué par la bourrasque et parfois retroussé, ne protégeant le plus souvent qu'une petite zone aléatoire entre eux, qui se trempaient. Tu veux que j'essaie ? proposait de temps en temps Personnettaz. Laissez tomber, répondait Boccara.

A moins qu'une âme sensible leur eût porté main forte, leurs efforts conjugués durent aboutir puisque deux heures plus tard ils roulaient à nouveau, pleins phares à fond sur la voie de gauche. Les doigts de Boccara laissaient un peu partout des traces noirâtres dans l'habitacle, peu perceptibles sur les sièges et le volant mais bien distinctes sur son col de chemise, son front, ses joues, ses paupières et son nez plus clairs.

Retour de mission sans avoir rien trouvé que la maison désertée de Gloire, les deux hommes se taisaient : Boccara boudait, Personnettaz ne sera jamais très bavard. On mit la radio pour les informations, qui en étaient à la météo. Le responsable de cette rubrique s'en tenait à quantifier le temps pourri visible derrière les vitres. Paraissant s'exposer en première ligne aux intempéries mêmes qu'il dénonçait, sa voix fébrile et prise garantissait le bien-fondé de ses propos.

Perclus de fatigue, Boccara frissonnait aussi dans son costume froissé. Sale goût dans la bouche comme s'il émergeait, poisseux, fripé, d'une longue nuit blanche en plein milieu de journée. D'abord abattu par l'étroitesse du monde, il voulut reprendre courage trente kilomètres avant Paris. Bien que Personnettaz l'effarouchât, mais peut-être pour exorciser sa gêne, il baissa le volume de la radio puis :

– Et les filles, alors, dit-il avec un sourire sans joie, vous avez souvent l'occasion, dans le travail ?

Mais il se garda d'insister. L'autre, immobile et muet comme la plupart du temps, regardait fixement devant lui d'un air contrarié, ou soucieux, ou souffrant, difficile à dire : de très mauvaise humeur ou simplement désespéré. On sentait ses pensées négatives sans trop pouvoir en supposer la teneur. N'osant développer sa question plus avant, Boccara crut pouvoir essayer de le distraire toujours sur ce même thème. Pour draguer, par exemple, lui-même, Boccara, comment s'y prenait-il ?

– Simple, se répondit-il, simple. Je m'assieds tout seul à une terrasse, je commande un demi et je fais la gueule. Et ça ne rate pas. Dans la demi-heure il y en a toujours une qui arrive et qui s'installe. Et allez.

Sans émettre aucun commentaire, Personnettaz lui avait jeté un rapide coup d'œil, bref regard composite au sein duquel l'envie, le scepticisme et la réprobation se regardaient eux-mêmes en chiens de faïence. Puis il avait rétabli le volume de l'autoradio : Chostakovitch : Boccara ne s'était point appesanti. On avait écouté Chostakovitch, ce n'est pas si mal, Chostakovitch, il y a des quatuors très très bien. Puis une fois dans Paris, du côté de l'Opéra, Personnettaz fit stopper la voiture devant une cabine téléphonique. Attends-moi là, dit-il en ouvrant la portière, je vais prévenir le client. Vers quatorze heures et quelques le ciel s'était calmé, les commerces rouvraient, le coin s'avérait profus en vendeuses revenant de leur déjeuner basses calories, leur litre et demi de Contrex sous le bras : Boccara modifia l'inclinaison de son siège pour les regarder, plus confortablement, regagner leur poste de travail.

Mais Salvador, qui vient de se faire livrer un club sandwich avec une bière dans son bureau, n'avait pas la tête à répondre quand le téléphone sonna. Sous ses yeux, le dossier des grandes blondes était ouvert sur le point délicat des blondes artificielles. Bon, fit-il rapidement, oui, alors c'est raté ? Je ne sais pas, moi, voyez avec Jouve. Il raccrocha très vite pour éviter de perdre le fil, tâcher d'approfondir le point, pensant à voix haute. Notant sous sa dictée de l'autre côté du bureau, Donatienne projetait en même temps sur un écran mural des photos de Stéphane Audran, d'Angie Dickinson et de Monica Vitti pour stimuler la réflexion de Salvador. Qui dut observer une pause, déconcentré par le coup de fil. Puis :

– Toute blonde un jour ou l'autre, reprit-il, encourt le soupçon d'être fausse. Toutes s'exposent à ce doute, toutes prennent le risque qu'on les suspecte d'être artificielles. Or la fausse blonde est quelquefois plus pertinente, plus représentative qu'une vraie, qu'est-ce que tu en penses ?

Mais Donatienne, ce jour, n'avait pas le cœur à penser, ni même à parler sur son rythme habituel.

– Il faut voir, dit-elle, tu peux développer ?

– Je crois, dit Salvador. J'y reviendrai. Poursuivons. La fausse blonde est donc une catégorie spécifique, un style à part. Ce que n'est pas la fausse brune. La fausse brune est d'ailleurs improbable, on ne lui voit pas de raison d'être. Elle ne crée pas l'événement comme peut faire une fausse blonde, qui a choisi sa couleur dans ce seul objectif. Donc la teinture ne scandalise qu'à sens unique, tu me suis ?

– Si tu veux, bâilla Donatienne. Continue.

J'en ai vu passer une, annonça Boccara quand Personnettaz rentra dans l'auto, vous auriez vu ses dents quand elle souriait, comme ça brillait. Alors des dents d'un blanc, je vous jure, une vraie salle de bains. Allez, roule, dit Personnettaz. Excusez-moi, dit Boccara. Ensuite ils avaient pris, via Saint-Lazare, vers le quartier Europe où la lumière, souvent, rappelle celle de l'Europe de l'Est, où dans les rues plus dégagées qu'ailleurs, par des perspectives plus obtuses, un fond d'air frais demeure toujours même par temps chaud, où les bruits sonnent comme s'ils venaient d'un peu plus loin. Quelques-unes de ces rues, les plus introverties, conservent toute l'année un petit air de vacances ou de pénurie : par exemple, devant le bureau de Jouve, il y avait plein de place pour se garer.

Symétriquement à ce bureau, un autre bureau plus vaste abritait le siège d'une association de femmes toutes plus belles les unes que les autres. Quand Personnettaz et Boccara entrèrent dans le hall, il paraissait qu'une assemblée générale s'y tînt, Boccara passa le nez par la porte entrouverte. Allez, avance, dit Personnettaz. Excusez-moi, dit Boccara. Jouve les attendait pour le debriefing. Ils l'informèrent de leur échec. Ça ne m'étonne pas, dit-il, elle a sûrement filé. Enfin, tant pis. On va essayer autre chose. Il faudrait visiter un local, je vais vous expliquer, mais il faudrait que ce soit assez discret si vous voyez ce que je. Oui, fit Personnettaz, je vois ce que vous. Un peu plus tard, munis de l'adresse de Lagrange, l'assemblée générale de femmes splendides battait son plein quand ils s'en furent, dans un climat d'émeute on se proposait fiévreusement de passer au vote. Qu'est-ce qu'on fait, demanda Boccara, on y va tout de suite ? Pourquoi, fit Personnettaz, tu as autre chose à faire ?

Le même un peu plus tard encore, rue de Tilsitt :

– Tu veux que j'essaie ?

– Laissez tomber, dit Boccara.

Debout derrière lui depuis un bon moment déjà, une lampe-torche à la main, Personnettaz tâchait d'éclairer le mieux possible Boccara tout à son affaire.

N'y parvenait qu'imparfaitement. Sous l'effet de cette longue immobilité, il advenait que son poignet faiblît, que le faisceau dérivât vers un espace intermédiaire entre eux, qui n'y voyaient plus rien. Boccara protestait alors, Personnettaz redressait la lampe-torche à deux mains. Il était minuit dix, déjà mercredi.

Toujours pas mal humide, dehors. Sur les hautes fenêtres du bureau de Lagrange, la pluie de plus en plus fine, presque à l'état de brouillard, venait par intermittences battre doucement les vitres, comme de légères vagues froissent du sable. De la rue de Tilsitt montait un bruit de trafic espacé mais soutenu, minuit place de l'Etoile, au-delà le halo plus étouffé des boulevards alentour, sirène d'ambulance par-ci, klaxon par-là. Rien d'autre à faire qu'écouter ça, rien à voir au-delà du faisceau de la lampe-torche. Par la porte accédant au bureau, un peu de lueur des réverbères passait de justesse, accentuant à peine les reliefs des meubles sans rien éclairer.

Ils s'étaient installés dans la petite annexe du grand bureau de Lagrange, espace clos de cinq mètres carrés sans fenêtre. Fax et classeurs métalliques, photocopieuse et lavabo, coffre-fort d'un modèle ancien : Boccara se tenait agenouillé sur la moquette devant le coffre-fort. Des dossiers étaient posés sur ce coffre, d'où tentaient de fuir quelques papiers pelure, et, posée près de Boccara, une sacoche contenait de petits outils, poinçons et pinces, palpeurs, un plus gros appareil en forme de ventouse ainsi qu'un stéthoscope. Parfois Boccara chaussait le stéthoscope, auscultait le mécanisme en comptant les déclics, en tremblotant un peu. Tremblotant quelquefois au point de rater une manipulation, devoir reprendre ses calculs, mais aussi transpirant au moins autant qu'il tremblotait, ses doigts moites dérapant sur la molette glissante, sans compter l'autre derrière lui qui baisse la lampe juste au mauvais moment : tout semblait encore s'opposer à son projet d'ouvrir ce coffre.

L'autre derrière lui, se penchant au-dessus de son épaule, vit l'état de sueur de son assistant.

– Tu aurais dû prévoir des chiffons, dit-il, tu es sûr que tu n'as pas des chiffons dans ta sacoche ? Tu n'as pas pris des Kleenex pour ton rhume ?

– Non, s'énervait Boccara, non, non. Mais putain mais qu'est-ce que ça glisse. Mais ce n'est pas vrai comme ça dérape, nom de Dieu.

S'interrompant un instant pour souffler, il étouffa un éternuement dans le creux de sa main.

– Calme-toi, dit Personnettaz, tu perds du temps.

– Je sens que ça va me tomber sur les bronches, renifla Boccara, je le vois d'ici. Après c'est des mois que je vais traîner ça. Je n'ai que faire de vos souhaits.

13

Après son départ à l'anglaise, Béliard ne s'était plus manifesté. Gloire ne souffrait pas trop de son absence, bien que sa conversation lui manquât parfois. Beau fixe, au demeurant, sur tout le Pacifique sud.

Ce mercredi, le jour se leva comme d'habitude avec brutalité. Douche rapide et breakfast expédié, la jeune femme quitta vite sa chambre. Une reprise pour orchestre symphonique de rock and roll ébarbé grésillait affectueusement dans l'ascenseur, Gloire quitta l'hôtel sous le soleil déjà dur. Elle emprunta le pont Pyrmont, à l'usage des piétons, jusqu'au grand aquarium. Puis cinq cents mètres au-delà s'élève un bâtiment de style anglo-antipodal – luxueuses galeries marchandes tout en lustres et balustres, cuivres et vitraux, tapis, tableaux, moulures – face à quoi se dresse, livide, une statue en marbre de la reine Victoria. Gloire emprunta l'escalator jusqu'au dernier étage et s'installa devant une table basse collée, à pic, contre une barre d'appui vernissée, près d'une boutique d'articles de mariage nommée *Seventh heaven.* De là, son œil plongeait sur trois étages de galeries d'art, concessions de couturiers internationaux, commerces d'objets de luxe, d'antiquités récentes et de souvenirs confus.

Une fois qu'un barman, assorti d'un walkman, lui eut apporté ce qu'elle voulait – café, cendrier –, Gloire observa le trafic de fiancées qui allaient et venaient autour de *Seventh heaven.* Jeunes ou déjà plus si jeunes, les fiancées ne se présentaient jamais seules mais toujours flanquées d'une suivante – mère, amie de cœur, sœur ou sœur du fiancé qui boit, au loin, ses dernières bières avec ses vieux copains de toujours pendant toute la durée du compte à rebours. Installées sur des canapés de cuir blanc, les suivantes prodiguaient et feuilletaient des conseils et des catalogues. Les fiancées paraissaient plutôt sûres d'elles pendant les essayages. On distinguait une idée derrière la tête de certaines, celle d'autres restait froide à moins qu'occupée de pensées clandestines, d'aucunes étaient intimidées de ne pas cacher leur contentement ; bien que dans l'ensemble elles ne fussent pas terribles, quand même elles s'étaient trouvé quelqu'un. Gloire les regardait par la vitrine poser dans leur tenue puis, en milieu de matinée, comme la boutique s'était vidée, elle y entra.

Voilages vert pâle, rose pâle, carpettes violine et perle. Présentoirs cylindriques velours-satin chargés de chapeaux, colliers, chaussures que multipliaient de grands miroirs en pied aux cadres ouvragés. Parmi les cintres supportant des théories de robes immaculées, mousseuses, effervescentes, Gloire choisit un modèle classique, taille très haute, longue à plis latéraux, décolleté discret dont l'angle obtus ne laisserait guère découvertes que les clavicules. Elle s'enferma dans la cabine minuscule.

Par enchantement elle en ressortit un quart de seconde plus tard, caparaçonnée d'une tenue gigantesque, suivie d'un escadron de vendeuses portant loin derrière elle plusieurs mètres de traîne – comme un illusionniste à huit-reflets fait sortir de son claque une colombe fuyant un chat fuyant des chiens suivis de chevaux, de chameaux, d'éléphants qui se dirigent placidement vers la coulisse en blatérant, miaulant et barrissant, déféquant au passage, puis de cohortes vêtues de costumes régionaux qui défilent en saluant le public sous les vivats, agitant chapeaux et drapeaux, précédées de fanfares et suivies d'orphéons –, et somme toute plutôt mal fagotée, constellée d'étiquettes, grimpée de guingois sur de hauts talons blancs.

Gloire laisserait ensuite les vendeuses adapter l'appareil à son corps, régler sa taille, ajuster ses épaules, nouer une bouffette sur ses reins, lui faire éclore un hortensia de dentelle blanche entre les seins, la coiffer d'un tortil de feuillage à rubans, déployer le voile sur son visage, régler les chutes d'étoffe, gommer les plis, fixer des épingles en tous sens et parapher le tout de trois rangs de perles. Cela fait, coincée dans sa robe, elle esquisserait quelques mouvements prudents, petites révérences précautionneuses à l'attention de son image, mariée célibataire dans le miroir. Bon, dit-elle, je vais réfléchir.

Rhabillée, Gloire passa l'après-midi sur un des ferries qui relient le quai circulaire à Manly puis regagna son hôtel où, après le dîner, comme elle n'avait pas très envie d'aller se coucher tout de suite, l'homme de la réception lui indiqua volontiers l'adresse d'une boîte où tuer sa nuit.

Elle trouva sans difficulté cet établissement surtout fréquenté par des Occidentaux de l'hémisphère nord, parmi lesquels pas mal d'Occidentaux de l'hémisphère nord ivres, parmi lesquels un grand Suisse maigre au sourire triste sous moustache, au bar, ainsi qu'un organiste à l'arrière-plan. Derrière le brouillard des conversations, comme au-delà d'une chute d'eau, l'orgue Hammond déclinait discrètement des sons poisseux, des arguments sinusiteux alternant avec des quintes de toux, des souffles de forge. Le Suisse, qui s'occupait de questions d'environnement, offrit à Gloire une coupe de champagne local puis l'on causa, du moins le Suisse dressa-t-il un sombre portrait de l'Australie : de plus en plus de touristes au sol, de moins en moins d'ozone dans le ciel : il semblait qu'il eût ici, dans sa spécialité, largement de quoi s'occuper.

Gloire eut à peine vidé son verre qu'aussitôt l'homme, sans interrompre son soliloque, le fit renouveler à plusieurs reprises. Gloire souriait, beaucoup de gens souriaient, l'orgue continuait de parler du nez, tartinant des accords en marmelade ou peinant comme une bête de somme. Retour du Labrador, le Suisse exposait à présent le sort que l'on réserve aux phoques du Labrador, exterminés en masse pour qu'on fabrique avec leur peau des pantoufles et des porte-clefs, mais surtout de petits jouets articulés en forme de phoque du Labrador. Gloire à son tour commençait d'être un peu ivre et de voir le monde à travers du verre, toute perception anesthésiée, comme un incendie refroidi par la vitre du téléviseur. Quand le verre commença de se dépolir, il était temps de rentrer. Cet homme suisse était très gentil mais non, pas ce soir, elle repasserait peut-être demain voir s'il était toujours là. Gloire se leva soigneusement, remercia l'homme, quitta l'établissement.

Le silence dans la rue, lorsqu'elle sortit, était de ceux qu'on écoute comme un son. Soulagée de se voir marcher assez droit, de lire nettement deux heures du matin sur sa montre, Gloire préférerait rentrer à pied plutôt que prendre un taxi. Le night-club se trouvait à quelques blocs de l'aquarium au-delà duquel, par le pont Pyrmont, elle regagnerait son hôtel. Pas grand monde à cette heure jusqu'à l'aquarium, pas une âme sur le pont Pyrmont.

Hélas, justement si : peu après qu'elle s'est engagée sur le pont, voici qu'une âme lointaine s'y engage en sens inverse. D'abord indistincte, peu à peu se précisant, c'est une âme d'une cinquantaine d'années, massive et vêtue de bleu foncé ; sexe masculin. L'homme avance sans se presser sur la gauche de Gloire, qui tient sa droite sans lever les yeux. Alors qu'ils vont se croiser, l'homme oblique brusquement vers elle et lui adresse quelques mots qu'elle ne comprend pas. Jamais été bien vaillante en langues étrangères, Gloire. A peine capable de se débrouiller dans un anglais de portier de petit hôtel, mais inapte à soutenir une conversation, surtout à cette heure-ci, compte tenu de son état et de l'accent australien. Comme elle secoue la tête – don't speak English – en accélérant un peu le pas, l'homme se retourne puis entreprend de la suivre, marchant à sa hauteur en répétant la même formule, cette fois sur un ton interrogatif de plus en plus pressant, bientôt lui prenant le bras au-dessus du coude. Gloire se met à marcher plus vite, secoue la tête – leave me alone – et tente de se dégager à coups de regards glacés. L'homme alors l'attrape par une épaule, la contraint de s'arrêter puis, la retournant vers lui, saisit son autre épaule.

Gloire commence de se débattre mais l'autre la maintient fermement, l'attire vers sa large personne transpirante en se déplaçant vers la rambarde. Et voici que les forces de Gloire l'abandonnent, qu'elle a même trop peur pour crier dans cet espace de toute façon désert, déjà presque asphyxiée par la sueur et l'haleine de cet homme, n'émettant que de rageuses paroles soufflées, incapable d'influer sur le cours des choses. Tout paraît assez compromis lorsque Béliard, surgi de nulle part, se dresse soudain sur l'épaule de la jeune femme et se met à hurler, visage haineux. Détruis ce connard, vocifère Béliard, arrache-lui les couilles. Crève les yeux de ce con.

Jamais Gloire ne saura si l'homme a perçu la présence belliqueuse de Béliard. Toujours est-il qu'un instant il paraît déconcerté, se déséquilibre puis reprend son étreinte, plus vivement, proférant contre le visage de Gloire de nouvelles paroles brèves dont, faute de les comprendre, elle peut sans trop de mal se faire une idée. Mais tel est le pouvoir de Béliard qu'il régénère les cellules, multiplie l'énergie : aussitôt après, sous l'effet d'une résistance neuve, d'une contre-attaque imprévue, l'homme se trouve brusquement propulsé sur le sol et sa tête heurte sourdement le revêtement. Il crie, tente de se relever de lui-même, peut-être envisage-t-il déjà de déclarer forfait : peut-être n'insisterait-il pas devant cette femme aux forces décuplées si Béliard, trépignant sur son épaule, ne continuait d'exhorter Gloire qui remet brutalement l'agresseur sur ses pieds. Sans lui laisser le temps de fuir, elle le plaque contre la rambarde avant de le gifler très violemment, à plusieurs reprises, et le regard de l'homme qui oscille follement entre la douleur et l'étonnement se pose bientôt sur la jeune femme d'un air fatigué, l'air de dire bon, d'accord, j'ai compris, on arrête.

Tout cela pourrait s'en tenir là. Gloire finirait par lâcher l'homme si Béliard, contre son oreille, ne lui hurlait d'anéantir ce con, de le réduire en miettes. De sorte que dans le sillage d'une dernière gifle, Gloire croche vivement l'épaule de l'homme, lui tord un bras dans le dos jusqu'au seuil de la fracture pour le retourner vers la rambarde et, grognant brièvement comme une bête, elle le bascule d'un coup d'épaule par-dessus le garde-fou puis le pousse dans le vide. Interloqué, les yeux ouverts, l'homme tombe sans rien avoir compris à rien, surpris au point de ne penser même pas à crier. La baie de Sydney l'avale silencieusement vingt mètres plus bas. Quand même, heureusement que Béliard rend des services de temps en temps.

Mais vingt minutes plus tard, rentrée à l'hôtel encore frémissante de haine, d'excitation, de peur, et d'abord dilatée par cette énergie, vidant coup sur coup deux whiskies, peu après tout s'était inversé : Gloire s'effondra en larmes, prostrée au bord du lit, désespérée par sa tendance irrépressible à jeter les gens par les fenêtres, du haut des falaises ou des ponts. Béliard, assis près d'elle, la considérait pensivement. Allons, allons, dit-il d'une voix consolatrice. Gloire était d'abord incapable d'articuler une parole :

– Pas obligée de faire ça, sanglotait-elle ensuite, on n'était pas obligés de faire ça.

– Laisse tomber, dit Béliard, abandonne ces scrupules. Parfois il faut faire un exemple. On ne risque rien de toute façon, mais quand même il vaudrait peut-être mieux s'en aller. Je vais me renseigner sur les avions, demain. Et toi, maintenant tu vas dormir, d'accord ?

– Je ne pourrai pas, dit la jeune femme.

– Je m'en doute un peu, dit l'homoncule. Qu'est-ce qui te reste, comme médicaments ?

Gloire alla chercher sa trousse d'hypnotiques, parmi lesquels Béliard composa un cocktail énergique, et peu après tout était calme et la jeune femme dormait, semblait enfin tranquille, les petites veines bleues de ses tempes battaient paisiblement. Loin du monde elle flottait, peut-être rien ne s'était-il passé.

Mais le lendemain matin, quand le service du réveil fit sonner le téléphone un peu trop tôt, plus le moindre Béliard dans la chambre. Plus l'ombre d'un Béliard, personne. Gloire alla jusqu'à le chercher sous son lit. Pourtant il ne devait pas être si loin : quand elle sortit de sa douche, la salle de bains n'était plus qu'un bloc de vapeur opaque. Et le doigt de Béliard étant d'un petit module, c'est en fins caractères qu'avaient été tracés sur le miroir embué les mots Sydney-Bombay via Hong-Kong, vol Cathay Pacific Airways 112, 10 h 30. Puis, ayant reporté ces indications sur un dos d'enveloppe, quand elle retourna se changer dans la salle de bains, toute la buée s'en était évaporée : le miroir était redevenu vierge.

Mais une heure plus tard, en effet, à l'aéroport de Kingsford Smith sa place était bien réservée en classe Club, section fumeurs, côté hublot – décidément, Béliard peut rendre toute espèce de services. A dix heures, Gloire monta dans l'avion pour Bombay vêtue d'un ensemble de toile beige, d'inspiration lointainement coloniale et chaussée de sandales d'été à mi-talons de corde. Comme toujours peu maquillé depuis son départ de Bretagne, son visage n'était qu'à peine visible sous de larges lunettes noires et un bob très couvrant d'où, comme au bon vieux temps, s'échappaient çà et là de brèves mèches claires.

14

Et le même jour, à l'autre bout du monde :

– Il semble, poursuivit Salvador, qu'existe chez les grandes blondes une conscience aiguë de leur particularité. Ce sentiment d'être spéciales, de constituer le produit d'une mutation, un phénomène génétique voire une catastrophe naturelle, peut encourager une certaine mise en scène d'elles-mêmes. Oui, fit-il, enfin bon. Je ne sais pas trop. Qu'est-ce que tu en penses ?

Bâillant encore, tirant de l'autre main sur sa jupe, Donatienne proposa de remettre à plus tard ce développement. De s'intéresser plutôt à quelques valeurs sûres de la population étudiée. Par exemple un petit sujet sur Jean Harlow ou, je ne sais pas, moi, Doris Day ? D'accord, dit Salvador, va chercher les photos.

Donatienne traversa la pièce vers la porte, balançant gentiment ses hanches sous l'œil cerné de son employeur. Alentour, environnement sonore dans les aigus – klaxons du côté de la rue, piaillements du côté des arbres et, dans les studios voisins, bandes magnétiques défilant à l'accéléré : seule était grave en cet instant l'humeur de Salvador.

Comme Donatienne tournait le bouton de la porte et la tirait, elle faillit se heurter à Personnettaz debout dans le couloir derrière cette porte et qui, symétriquement, la poussait en même temps. L'une sortant de la pièce comme l'autre allait entrer, ils reculèrent d'abord en s'effaçant puis, vieux malentendu, chacun s'engouffrant simultanément dans l'espace libéré par son vis-à-vis, ils se bousculèrent à peine dans l'axe de la porte. Rapide contact furtif, aussitôt rétracté : l'homme, ayant effleuré par mégarde le bras de la jeune femme, ramena vivement le sien vers lui tout en reculant. De son bureau, Salvador vit le visage effaré de Personnettaz, terrorisé d'avoir touché un câble à haute tension, stupéfait d'y avoir survécu, Salvador vit le corps de Personnettaz secoué par ces émotions fortes, comme par une de ces déferlantes à double détente et deux vitesses qui vous noient à coup sûr. Tout cela n'avait pas duré trois secondes après quoi Personnettaz recula d'un autre pas, son visage soudain blanc de fatigue. Donatienne lui sourit franchement avant de s'éloigner vers la documentation.

Personnettaz, l'air épuisé, se détourna sans la regarder avant de s'adresser à Salvador ou plutôt, mal à l'aise, exclusivement à l'épaule droite de Salvador comme s'il y expertisait une tache, trois grains de poussière, un fil égaré là par un cousin de Béliard.

– Bon, dit-il enfin, nous avons les informations. On sait où elle est, maintenant. On croit savoir.

– Alors ? fit Salvador, vous attendez quoi pour y aller ?

– C'est-à-dire que c'est loin, dit Personnettaz, vraiment c'est assez loin.

– Et alors, fit Salvador, où est le problème ?

– C'est-à-dire que c'est cher, dit Personnettaz. Je veux dire le voyage, vraiment c'est plutôt cher.

– Bien sûr, soupira Salvador en retirant un chéquier de son tiroir. Classe affaires, c'est ça ?

– Non, dit Personnettaz, une classe économique ira très bien pour deux.

Pendant que Salvador signe puis détache le chèque du carnet, Personnettaz contracte ses mâchoires quand Donatienne revient de la documentation. Elle porte une liasse de photographies sous le bras ainsi qu'une Dunhill au filtre empoissé de rouge garance au coin des lèvres. Comme elle reste adossée près de la porte ouverte, l'air d'attendre que ça se passe, Personnettaz empoche le chèque et se lève avec raideur. Maintenant soigneusement Donatienne hors de son champ visuel, regagnant la sortie en décrivant un arc discret à distance constante de sa personne, il sort sous son regard toujours souriant. Mais il ne marche plus de son pas naturel quand il se sait suivi par un regard : il se tient gauchement trop droit, contracte exagérément son fessier, ses jambes se caricaturent et son thorax tangue plus qu'il n'est requis, bref le corps s'émancipe et plus on veut le contrôler moins il suit. Jusqu'à l'ascenseur, Personnettaz s'éloigne ainsi le long du couloir interminable, sûr que Donatienne le regarde bien après qu'elle a refermé la porte.

Comme surveillé même à distance, il continuait de marcher ainsi rue des Martyrs une demi-heure plus tard, ayant garé sa voiture sur le boulevard. Arrivé devant l'immeuble de Boccara, il chercha la formule d'entrée dans son carnet puis la composa sur le clavier du digicode, à plusieurs reprises mais en vain : la porte demeurait de bronze. Déjà troublé par Donatienne, Personnettaz sentit croître une exaspération d'autant que la plus proche cabine téléphonique n'était pas à moins de cinq cents mètres.

– Personnettaz, annonça-t-il. On m'a donné un code. C'est quoi, ce code ?

– Ma foi vous avez quoi, comme code ? répondit la voix intimidée de Boccara.

– Attends deux secondes, fit Personnettaz en feuilletant non sans peine le carnet d'une main, on m'a donné 89A51.

– Ah, fit Boccara, ça se voit que Jouve n'est plus venu depuis longtemps. Eh oui, se rappela-t-il, c'était un bon code, 89A51, je l'aimais bien. Ça sonnait comme un score de basket et puis c'était si facile à se rappeler, n'est-ce pas. La révolution française et le pastis, quoi de mieux ?

– Bon, dit Personnettaz, et alors c'est quoi, le nouveau ?

– Et puis deux nombres premiers, en plus, argumentait Boccara.

– Non, dit Personnettaz. 89 oui, mais pas 51. 51 n'est qu'un produit de premiers.

– Oui, dit Boccara, enfin voilà, ils nous l'ont changé.

– Bon, répéta Personnettaz, alors c'est quoi, le nouveau code ?

– C'en est un complètement minable, dit Boccara. 8C603, voyez comme c'est commode.

8C603 composé, en effet, le déclic léger de l'huissier électronique se déclencha instantanément. Ascenseur. Miroir au fond de l'ascenseur. Eviter de s'y regarder.

– Alors, fit Boccara, ça va ? Vous avez pu récupérer depuis l'autre soir ? Moi je ne peux plus me coucher tard comme ça, je suis crevé. Je vous préviens que je suis aussi un peu déprimé. Enfin, heureusement qu'on a quand même trouvé le truc. Un petit café ? J'en ai du frais.

– Non, dit Personnettaz. Oh et puis si, tiens. Montre-moi le truc.

– Tenez, dit Boccara. Un sucre ou deux ?

Le truc consistait en clichés grandeur nature des

documents que les deux hommes avaient trouvés, photographiés puis remis à leur place dans le coffre-fort de Lagrange : noms de villes étrangères suivis d'indications chiffrées : dates, adresses, téléphones, fax. Bien, dit Personnettaz, on part demain.

Et le lendemain, Boccara se disait toujours déprimé lorsqu'ils s'embarquèrent dans ce même Boeing pour Sydney qu'avait emprunté Gloire. Mais nous savons qu'elle a quitté Sydney, nous connaissons déjà ce trajet, réglons donc tout cela très vite et résumons. A l'hôtel de Darling Harbour ils ne trouvèrent personne, le temps était épouvantable, ils n'eurent le temps de rien voir, ils rentrèrent aussitôt.

Dans l'avion du retour, Boccara s'endormait par intermittences. Avec quinze heures de vol dans un sens puis dans l'autre, la fatigue et le double décalage à cent quatre-vingts degrés, les troubles du sommeil et de la digestion, cela n'arrangeait rien d'être secoué de nausées quand le Boeing traversait des zones de turbulence. D'abord abattu, il tenta de retrouver courage mille kilomètres avant Paris et voulut reprendre la conversation amorcée quelques jours plus tôt dans l'auto, retour de Bretagne. Il se tourna vers Personnettaz, qui semblait absorbé dans l'examen de la météo mondiale sur le circuit de télévision intérieure.

– Ce n'était même pas vrai, ce que je vous ai dit l'autre jour, avoua Boccara. En réalité, j'ai une sexualité lamentable. Si vous saviez ce que je n'en peux plus, moi, de baiser des veuves dans des HLM.

– Ma foi, s'aventura Personnettaz, c'est toujours ça.

– Vous n'imaginez pas ce que c'est, poursuivit Boccara. Les réveils. Les matins. Rentrer chez soi même pas lavé par le périphérique bouché, sous le temps pourri, retrouver son appartement glacial. Remettre le chauffage et garder son manteau en attendant que le café passe. Vous n'imaginez pas la déconsidération de soi que c'est.

– Laisse-les tomber, alors, préconisa Personnettaz. Quitte-les.

– Je ne quitte jamais personne, dit Boccara, c'est trop fatigant. Tant qu'à faire, j'aime mieux être quitté. Ça m'évite de décider. De toute façon, développa-t-il, ce n'est jamais si simple. On ne sait jamais exactement qui, au juste, quitte l'autre. On croit voir qu'un des deux prend cette initiative. Mais celui qui abandonne n'est pas toujours celui qui a l'air de quitter.

Cela posé, Boccara renfonça les écouteurs dans ses oreilles, cherchant un peu de musique parmi les programmes disponibles en faisant jouer la molette incrustée dans son accoudoir, et retombant sur Chostakovitch il modifia l'inclinaison de son siège pour contempler plus confortablement les hôtesses de l'air au travail.

A Roissy, Personnettaz se dirigea vers la première

cabine téléphonique, mais Salvador n'avait toujours pas la tête à répondre quand l'appareil sonna. Sur son bureau, son projet principal était rouvert sur le chapitre concernant les blondes artificielles – oxygénées, peroxydées, etc. Bon, fit-il rapidement, oui. Donc c'est encore raté ? Mais, sans trop écouter l'explication de l'autre :

– Un instant, lui dit-il.

Et se penchant sur les pages étalées devant lui, en marge de l'une d'elles il nota rapidement que le peroxyde d'azote est également utilisé pour la confection de certains explosifs, la propulsion de certaines fusées, voilà qui peut servir. Bien. Penser à développer ce point.

15

Ce soir-là, vingt-trois heures à Bombay, bar du Taj Intercontinental, vous observez qu'il n'y a là, comme dans le night-club de Sydney, que très peu d'autochtones. Presque uniquement des étrangers, étrangers à cette ville comme entre eux, étrangers au carré.

Vous avisez deux femmes qui viennent d'entrer dans le bar en riant très fort, on ne rit jamais comme ça dans un lieu public, deux jeunes femmes très gaies munies d'un bouquet de grandes fleurs blanches qu'elles se repassent toutes les cinq minutes. Vous les trouvez à première vue belles comme le jour, puis à la réflexion comme deux jours différents, deux jours de fête au cœur de saisons opposées.

Elles s'étaient rencontrées le matin même dans le vol Sydney-Bombay. Assises par hasard l'une près de l'autre, elles avaient échangé des magazines, des cigarettes et des conseils de beauté, pas mal bu et parlé ensemble comme on ne le fait qu'entre inconnues dans un long-courrier, dix mille mètres au-dessus des terres émergées. Rachel, comme Gloire, voyageait seule. Comme Gloire elle demeura discrète sur les buts et les mobiles de cette entreprise : les jours suivants, toutes deux ne se quitteraient plus.

Elles étaient arrivées à Bombay en fin de matinée, sans intention particulière, parcourant aussitôt la ville en taxi, se laissant déposer n'importe où puis arpentant les rues à pied. Traversant un volume d'odeurs compact à dominante sucrée, concret comme un cumulo-nimbus à géométrie variable et provenant de toute espèce d'épices, d'encens, d'huiles essentielles et de fruits, de fleurs et de friture, de fumée, de corne brûlée, de naphtaline et de goudron, de poussière et de pourriture, de gaz d'échappement et d'excrément. Puis lorsqu'il arriva, vers Marine Drive, que les jeunes femmes longent des lieux de crémation, l'odeur des corps en combustion prit un moment le pas sur toutes les autres, nuancée selon leur classe sociale par celle des bûches entre deux strates desquelles ils partaient en fumée, santal ou bananier pour les riches, manguier pour le tout-venant. Elles passeraient ainsi la journée jusqu'au soir.

Vous-même, ce soir, seul devant votre verre au bar du Taj, voyez comme ces deux femmes très gaies qui viennent d'entrer rencontrent immédiatement, miracle, deux hommes dans de semblables dispositions. La plus gaie choisissant aussitôt le plus drôle, les deux autres s'arrangeant tant bien que mal. Vous surveillez la scène de loin. Il vous apparaît que ce quatuor, à peine constitué, n'échange pas de points de vue toujours dans la même langue, chacun parlant la sienne par gestes. Vous restez encore un moment, hésitant puis renonçant à demander un autre verre, et vous quittez les lieux au moment où se précise, dans l'esprit du quatuor, l'idée selon laquelle peu importent les barrières linguistiques puisque l'amour est universel. Pourtant, le lendemain matin vers onze heures, grimpez-vous les étages vers la chambre 212, entrouvrez-vous la porte, vous ne trouvez pas comme prévu l'un de ces couples, ni l'autre, mais Rachel et Gloire endormies l'une contre l'autre.

Au bout de quelques jours, lasses de courir la ville, il put ainsi leur arriver de passer des journées entières dans la chambre, puisque ayant tout leur temps. Toujours l'une contre l'autre endormies, ou pas, près de la fenêtre ouverte au bord de quoi venaient se poser d'énormes corneilles au regard insolent. Rachel possédait quelque part une minuscule étoile tatouée, les corneilles émettaient de rauques raclements d'arrière-gorge, comme un homme sur le point d'expectorer. Et du matin au soir, par cette fenêtre, montait la voix de quelque dévot psalmodiant un air sacré dont les harmonies reprenaient en bonne part celles de *Working class hero.*

Souvent elles ne sortaient qu'en fin de journée, les

grandes chaleurs calmées, prendre l'air près de l'embarcadère d'Elephanta ou chercher de l'alcool au fond d'un passage à travers un immeuble ruiné, dans une obscure échoppe au guichet grillagé. Mais près de l'embarcadère elles firent aussi la connaissance de jeunes gens qui traînaient tout le jour non loin de l'hôtel, entre le Taj et le Yacht Club, parmi les nettoyeurs d'oreilles. Petits jeunes gens polis et proprement vêtus, ombrés de futures moustaches et de projets d'avenir, businessmen débutants qui dépliaient gravement l'éventail de leurs offres : substances à inhaler, substances à s'injecter, petits garçons et petites filles à s'envoyer, devises à changer. Sans recourir à leurs services, Rachel sympathisa cependant avec un prestataire nommé Biplab, parut s'en éprendre et disparut quelques jours après – sortant de la vie de Gloire aussi vite qu'elle y était entrée.

Ensuite, seule à Bombay c'est différent, la ville paraît plus bruyante. Gloire passa deux jours pleins sans sortir de l'hôtel, perdant son temps chez les commerçants de luxe du rez-de-chaussée. Une seule fois sortie le troisième jour, quelques mendiants la poursuivirent plus férocement que d'habitude en émettant les mêmes appels de gorge que les corneilles, des culs-de-jatte lancés après elle lui firent des queues de poisson, Gloire regagna sa chambre un peu découragée. Béliard commençait de lui manquer. Tout le temps qu'elle avait passé avec Rachel, jamais il ne s'était manifesté, normal. Mais à présent qu'elle se retrouvait seule il eût été bien le moins qu'il reparût. Or non. C'était à se demander si, trouvant une meilleure opportunité, l'homoncule n'était pas resté à Sydney.

Quoi qu'il en fût, mieux valait encore s'en aller. Rachel, une fois, lui avait parlé d'une petite ville du Sud où la vie lui avait paru suave, dans une résidence calme et doucement fréquentée dans le genre anglais, Gloire avait noté l'adresse. Par la réception elle se fit réserver une place, en classe climatisée, dans le prochain train pour le Sud. Elle partit le lendemain matin.

Une petite ville tranquille, sous ces climats, c'est tout de suite un million d'habitants fiévreux, mais le Club cosmopolite était une ancienne institution située en lisière du centre, dans le quartier des légations. Son entrée principale jouxtait le consulat de Birmanie et, tout au fond, un portail arrière débouchant au coin des rues du Cénotaphe et de l'Archiprêtre-Vincent donnait sur un jeté résidentiel de grandes villas blanches ceintes de jardins, closes de murs. Là, Gloire pourrait se croire à l'abri.

Vaste bâtiment bas, le Club cosmopolite se composait d'un grand hall et de plusieurs salons. Restaurant, fumoir, salles de bridge, de billard et de bal, bar, autre bar, troisième bar. Son toit-terrasse était coiffé d'un clocheton dodécagonal, surmonté d'une urne infundibuliforme. Orné de photos officielles de la reine et d'autres plus récentes du prince de Galles, le hall se prolongeait en perron puis en auvent de ciment clair sous lequel de lourdes limousines Ambassador, de puissantes cylindrées Hindustani déchargeaient d'heure en heure les membres à jeun du Club avant de les rempocher ivres morts un litre ou deux plus tard. A gauche une piscine d'eau potable, à droite une bibliothèque de volumes défraîchis. Puis un bâtiment isolé, deux étages de chambres et de suites desservis par un ascenseur de palissandre : c'est là que logerait Gloire, non loin de l'entrée annexe, vue imprenable sur la rue du Cénotaphe. Tout cela dans un silence de soie même si provenait, des quartiers animés, une rumeur monotone à peine perceptible mais ininterrompue, aigre comme une mauvaise conscience et qui donnait au silence son relief.

L'établissement relevait de l'hôtel de luxe, de la pension de famille et du sanatorium. Inchangés depuis les Anglais, les bars étaient en acajou, les appliques en cuivre, les couverts en argent, les tennis en craie rouge et les boys en blanc. Visibles depuis la salle de restaurant, au-delà d'une terrasse longue et vaste comme un pont supérieur de paquebot, quinze marches douces accédaient à un parc planté de pipals et de margousiers, peuplé de mangoustes et de perroquets, bordé par une rivière sujette à crues. Le soleil rayonnait. Parfait.

Aussitôt Gloire arrivée, le superintendant lui avait présenté sa chambre. Exagérément vaste, elle était équipée d'un téléviseur Texla noir et blanc, d'un réfrigérateur bleu ciel et d'un volumineux conditionneur d'air entre les deux fenêtres, avec trois ventilateurs au plafond. Au-dessus de chaque table de nuit quatre petits sous-verre figuraient de petits oiseaux (*Chloropsis cochinchinensis*), un gros sous-verre au-dessus du lit représentait quatre gros oiseaux (*Porphyrio porphyrio*). De mieux en mieux.

Le superintendant, mince jeune homme à fine moustache froide et fin sourire glacé, disparut aussitôt après qu'elle eut signé le registre. Les jours suivants il se montrerait très discret, moins absent que fuyant. Les boys, par contre, assez âgés, se montrèrent excessivement prévenants ; comme l'épouse du plus gentil d'entre eux, chargé du service du matin, se trouvait momentanément à l'hôpital, Gloire lui passa deux mille roupies. Puis, une fois qu'elle eut installé ses vêtements dans les placards cent fois trop grands, qu'elle eut fait le tour du parc et traversé les salons vides, pris toutes ses marques dans l'espace, ses journées commencèrent de s'organiser.

Toutes semblables. A sept heures, la chaleur l'éveillait. Peu avant huit, le mari de l'hospitalisée posait le plateau du premier thé sur une table basse et tirait les rideaux. Courant d'un trait sur les tringles métalliques, les anneaux métalliques sonnaient à gauche, à droite, zing zing, comme un couteau qu'on affûte. Gloire prenait ensuite, seule, son petit déjeuner sur la terrasse, jetant par terre de temps en temps des fragments de toast, également convoités par nombre de corneilles géantes et de rats palmistes qui tous ensemble fonçaient dessus. Neuf fois sur dix les rats battaient en retraite sous l'arrogance des corneilles, plus puissantes et mieux organisées, sous les cercles décrits dans le ciel par des aigles. Gloire se reposait ensuite un moment dans sa chambre, sans rien voir devant elle que deux lézards, brefs, roses et fixés immobiles sur le mur. Elle n'essaya qu'une fois d'en attraper un.

Nombre de rickshaws stationnaient en permanence devant le portail, prêts à véhiculer les pensionnaires du Club. Gloire empruntait le premier venu de ces scooters jaunes capotés, sommairement suspendus – trois roues, deux places arrière et un compteur en panne – vers le centre-ville. Elle traînait un moment chez les marchands d'étoffes, dans les temples ou chez les masseurs, confiant quotidiennement ses mains aux spécialistes, surface et profondeur, chiromancienne et manucure en alternance.

Non sans curiosité, les naturels la regardaient, inaccoutumés aux grandes blondes, il en est peu sous ces climats. Cependant, au loin dans son coin, Salvador notait de vagues idées sur ce sujet – grandes blondes en petite Austin, grandes blondes et politique de la terre brûlée –, sans quitter du coin de l'œil, sait-on jamais, la reproduction d'une œuvre de Jim Dine intitulée *The blonde girls* (huile, fusain, corde, 1960).

Cependant Personnettaz s'efforçait, vainement pour le moment, de repérer l'itinéraire de Gloire qui passe l'après-midi sur une chaise longue au bord de la piscine, à moins qu'elle fasse le tour du parc, s'arrêtant quelquefois devant le générateur près de la mare où cent crapauds calmes, à toute heure, happent en silence n'importe quel insecte en deçà d'un calibre donné.

Les soirs, Gloire dînait encore seule au restaurant, un livre sur sa table et ne mangeant que d'un œil, puis elle se couchait tôt devant la télévision, suivait un film tamoul pas trop dur à comprendre ou, coupant le son, saisissait un des livres empruntés à la bibliothèque, généralement des ouvrages encyclopédiques, récits de voyage, manuels d'histoire naturelle, études de mœurs ou traités plus spéciaux publiés chez Thacker, Spink & Co (Calcutta) tels qu'*Animaux sans importance* ou *Chiens pour climats chauds*. Tout cela, Gloire le lisait méthodiquement, sans sauter ni retenir la moindre ligne. Puis en principe elle s'endormait. Quoiqu'il ne fût pas toujours facile, et bientôt de moins en moins facile de trouver le sommeil. Quant à Béliard, il n'était toujours pas reparu depuis Sydney. Un problème au contrôle des passeports ?

16

La semaine suivante, les insomnies se précisèrent. Rongeant le sommeil de Gloire par les deux bouts, elles retranchaient soir et matin, à parts égales, quelques minutes supplémentaires chaque nuit. Gloire se levait chaque jour plus fatiguée.

Au bar du Club, elle avait fini par rencontrer quelques Européens, résidents ou passagers, surtout des sujets britanniques représentant leur firme, un assureur des joyaux de la couronne, un représentant de parfums, un ingénieur spécialisé dans le frein – dispositif négligé, méconnu sous ces latitudes où l'on aime mieux le klaxon, donc énorme marché potentiel.

Mais elle passait peu de temps au bar. Les soirs, pour différer l'heure d'essayer de dormir, Gloire restait un moment devant la mare près du portail. Après avoir happé tous les animalcules possibles dans la journée, les crapauds digéraient à présent, chantant paisiblement en chœur. Pour exécuter leur petit concert, ils se répartissaient en trois sections, les uns reproduisant des piailleries de volatiles, les autres une sirène de police et les troisièmes un émetteur de morse. Chœur frénétique, simultané, sans un instant de répit, le morse et la police à l'octave, le souffle grave du générateur tenant en même temps lieu de basse continue et de diapason. Par-dessus les chorales batraciennes, depuis les branches d'un arbre à pluie, quelque soliste ailé projetait parfois un bref énoncé mélodique en contrepoint, quelques riffs en tierce. Gloire les écoutait un quart d'heure, puis elle rentrait se coucher.

Quand même on l'invita, parfois elle répondit. Les sujets britanniques organisaient le mardi des soirées passées à danser le cake-walk sur la terrasse en Adidas, en bermuda, en transpirant parmi les tables chargées de bouteilles. Un soir, un seul soir, Gloire se laisserait aller à vider cinq ou six verres d'affilée.

Puis rentrerait totalement ivre au Club. Mettrait un temps fou à retrouver sa clef, puis la serrure et puis, une fois entrée, l'interrupteur de la veilleuse. Elle pousserait un cri bref en croyant distinguer, dans la pénombre, une petite forme oblongue en travers de son lit. Puis elle se reprendrait, se raisonnerait : ma pauvre vieille, tu es encore complètement bourrée. Mais non : au bruit de la porte claquée la petite forme se redressa brusquement, raide comme la justice et les bras croisés, l'air mauvais.

– Tu as vu l'heure ? s'écria Béliard. Tu trouves que c'est une heure pour rentrer ?

– Sinistre con, fit Gloire. Tu m'as fait peur.

– Ça ne fait que commencer, cria Béliard un ton au-dessus. Personnellement je sens du relâchement, ici. Je m'en vais te reprendre en main tout ça, moi.

– Mais que tu es con, répéta Gloire en visant un fauteuil dans l'ombre et s'y effondrant, une main sur les yeux.

– Mesure tes propos, fit Béliard d'une voix sèche quoique moins bien assurée.

– Tu ne crois pas que tu pourrais prévenir ? fit-elle au bout d'un moment, se relevant difficilement pour aller se préparer un dernier verre.

– On ne rigole plus, tenta de menacer Béliard en désignant le verre du doigt, puis en agitant ce doigt. Je vais bien m'occuper de toi, maintenant.

– C'est le monde à l'envers, dit Gloire, une éternité que je ne t'ai plus vu. Jamais là quand j'ai besoin de toi. J'aurais pu crever dix fois.

– Je passe quand je peux, prétendit l'homoncule en baissant sa garde, si tu crois que je n'ai que ça à faire. Tu as vu ma tête ? Le décalage, le voyage, tout. Si tu crois que ça m'amuse, fit-il en extrayant de sa poche un petit miroir, non mais tu as vu la mine que j'ai ?

De fait il était pâle et décoiffé, costume fripé, cravate et lacets défaits. Par surcroît il n'était pas rasé.

Je n'en peux plus, moi, marmonna-t-il en se laissant retomber sur le lit. Gloire trempa ses lèvres dans son verre en le regardant couché désarticulé, poupée bon marché.

– Alors, qu'est-ce que tu as fait, dit-elle, tu étais où ? Tu es resté à Sydney ?

– Laisse-moi dormir, bâilla Béliard, je crois qu'il faut que je dorme.

– Tu as bien de la chance, dit-elle. Moi, je ne peux plus fermer l'œil. Si tu savais les nuits que je passe.

– Je vais m'occuper de ça, grogna Béliard. On verra ça demain.

– Tu parles, dit Gloire.

Le lendemain matin, Béliard dormait encore lorsqu'elle partit comme chaque jour faire un petit tour en ville. Parmi les rickshaws postés à l'entrée du Club, elle avait fini par fixer son choix sur un véhicule mieux entretenu que les autres, paraissant l'objet de tous les soins de son pilote. Orné de cônes de camphre en combustion, un petit autel de fleurs et de statuettes surplombait le guidon du véhicule au-dessus duquel, sur le pare-brise, adhéraient quelques décalcomanies de déités. Peints à l'arrière de l'engin près des catadioptres, deux yeux fardés louchaient sur un slogan fédéral prônant la limitation des naissances et, sous la capote rafistolée au chatterton, de part et d'autre de la banquette arrière, deux portraits du même homme représentaient peut-être un acteur, peut-être un politicien, plus vraisemblablement les deux en même temps.

Quant au chauffeur de ce rickshaw, nommé Sanjeev, c'était un jeune homme aimable et rond, chemise et pantalon de toile, linge délavé de coton rose autour du cou. Dès la première course, il avait proposé à Gloire de se mettre à son service exclusif. Ses cheveux étaient ras sauf une longue mèche sur l'occiput, poignée prévue pour le tirer de l'enfer s'il y tombait. Il était aimable et très égal d'humeur, conduisait bien, son compteur était en état de marche et son encens de bonne qualité, Gloire avait répondu pourquoi pas. Seul problème avec lui : son rhume chronique le faisait éternuer sans cesse, et se moucher à tous les feux rouges dans son linge rose qui lui tenait également lieu de serre-tête, écharpe, ceinture, compresse, chiffon, serviette de bain, serviette de table et filet à provisions.

Lorsqu'elle regagna sa chambre après le déjeuner, Gloire était à nouveau d'une pâleur extrême et Béliard parut s'en alarmer. Repose-toi un peu, suggéra-t-il avant de se rendormir lui-même, essaie de faire une petite sieste. Elle essaya, mais le sommeil n'existait plus. Il en fut de même une fois la nuit tombée, puis toutes les nuits d'après, jusqu'à ce qu'un beau matin la trouve complètement épuisée, à peine capable de bouger.

Evidemment inapte à soigner l'insomnie de Gloire, Béliard ne s'occupait que de rattraper son propre sommeil en retard. Elle passait ses journées près de lui endormi, allongée dans sa chambre aux rideaux tirés. Les yeux grand ouverts au plafond, ne pensant plus à rien, comptant indéfiniment les tours du ventilateur.

Ces trois jours elle ne quitterait sa chambre qu'aux heures des repas, laissant inachevés ses petits déjeuners sous ses lunettes noires. Dès qu'elle se levait de table, les corneilles fondaient sur les restes et se répartissaient toasts, sucre, beurre et marmelade chimique avant de se renvoler pour savourer ces choses en paix sur une pale de ventilateur.

Et même un soir, au restaurant du Club, dans une cuiller posée sur sa partie bombée près de son assiette, Gloire sursauta en découvrant une araignée très énervée. L'insecte prisonnier tournait en rond, se débattait au fond de l'ustensile. Un instant de répulsion la saisit avant qu'elle ne vît s'agiter dans cette concavité que le reflet, au-dessus d'elle, d'un autre ventilateur.

Les ventilateurs, de toute évidence, commençaient d'occuper trop de place dans sa vie. Mais ce ne fut qu'au bout d'une semaine, épuisée par les veilles, comme elle se mettait à voir de gros moustiques congelés dans les filaments des ampoules électriques, qu'elle commença de s'inquiéter. Béliard, se déclarant incompétent, baissait les bras. Gloire s'ouvrit aux boys de ses troubles.

Les boys, qui l'avaient à la bonne – jeune femme

souriante et réservée, pas trop près de ses roupies, ne s'attardant qu'exceptionnellement au bar le soir –, les boys étaient désolés. Après qu'ils se furent concertés, le mari de l'hospitalisée se dévoua pour en toucher un mot au superintendant. Diagonal, un sourire chavira légèrement la moustache du superintendant qui finit par noter au dos de sa carte l'adresse d'un praticien local exerçant en clinique, 33 rue de la Pagode-Karaneeswarar, au coin d'une artère spécialement négociante.

Béliard, qui n'avait pas quitté la chambre, dormait quant à lui, depuis son retour, pratiquement sans interruption. Gloire le secoua avant de partir :

– Je sors, le prévint-elle, je crois que j'ai trouvé quelqu'un pour mes insomnies.

– On va voir ça, grogna l'homoncule en se retournant.

Puis elle sortit dans la plus haute chaleur d'après-midi. Près du portail, dans l'ombre, les chauffeurs de rickshaw dormaient sur leurs guidons. No problem, dit Sanjeev après avoir déchiffré l'adresse, avant d'actionner le démarreur.

On arriva : serrées les unes contre les autres, abondaient là toute espèce de boutiques : marchands de pompes, de ressorts, de tuyaux, de couleurs, de plâtre et de corde, électriciens, plombiers, coiffeurs. Bref, les mêmes que partout au monde sauf que, n'outrepassant pas six mètres carrés, tous ces établissements se ressemblaient sous leurs toits de palmes tressées, de planches et de paille et sur leur sol de terre battue.

Une fois que Sanjeev l'eut déposée, Gloire eut du mal à repérer l'adresse du docteur : les bâtiments du coin, d'abord, n'étaient pas tellement numérotés, puis le contenu des boutiques ne correspondait pas toujours à leur enseigne. Ainsi, lorsqu'elle finit par trouver une plaque mentionnant la clinique du Dr Gopal, celle-ci se trouvait fixée sur la devanture d'un marchand de musique chez lequel deux hommes au front peint discutaient âprement sans trace autour d'eux de partitions, d'instruments ni d'enregistrements.

Elle hésita : sur le trottoir, à gauche, une échoppe contenait face à face deux machines, l'une à écrire et l'autre à coudre ; à droite, une autre proposait des services de Xerox-télex-fax. En haut, dans le fond, se maintenant à des échafaudages de cordes et de bambous, deux peintres ébauchaient les motifs d'une toile publicitaire dont on distinguait encore mal l'objet : alcool ou cigarettes, téléviseur ou machine à laver. Sanjeev alla s'informer auprès du tenancier de Xerox-télex-fax, qui lui indiqua l'emplacement de la clinique : au fond d'une cour à l'issue d'un passage en coude, en face d'un temple consacré à la déesse de la variole.

Ventilateurs et tapis à bout de souffle, la réception de la clinique était équipée d'outils de communication moderne. Perle incrustée dans l'aile du nez, bague au deuxième orteil de chaque pied, une jeune femme contrôlait sur écran la gestion de la clientèle. Aussitôt informé de la présence de Gloire, parut Gopal qui, lui, ne portait qu'une gigantesque gemme à l'index droit.

Au reste, malgré des manières d'archevêque, le docteur était un peu débraillé. Chemisette à carreaux flottante sur pagne à rayures vertes sommairement noué sur le devant, tongues de Chine populaire aux pieds. Chevelure poivre et sel profusément huilée rebiquant sur sa nuque par vaguelettes, grandes lunettes à monture de marbre et verres si grossissants qu'on ne voyait de ses yeux que deux pupilles et deux iris multipliés par dix.

Gloire ayant exposé son souci, elle et Gopal échangèrent en anglais des questions et réponses de routine – état général, maladies infantiles, antécédents familiaux, nature du symptôme. Gopal montra de l'indulgence pour ce trouble dont aurait, selon lui, raison le produit ayurvédique approprié. Fouillant dans un tiroir de son bureau, il retira une boîte de pilules brunes, en compta quelques-unes qu'il glissa dans un sachet de papier brun, une au coucher pendant dix jours et voilà, mille roupies.

Pendant que Gloire quittait la clinique, et qu'aussitôt Gopal composait sur son téléphone le numéro personnel du superintendant, Sanjeev avait attendu la jeune femme à l'extérieur. Bon docteur ? demanda-t-il.

– Il n'a pas l'air mal, dit Gloire, vous pourriez le consulter pour ce rhume.

– Cher, dit Sanjeev, beaucoup trop cher pour moi.

– Tenez, dit la jeune femme en fouillant dans son sac.

– Merci, dit Sanjeev, c'est beaucoup.

– Ce n'est rien pour moi, dit Gloire.

A peine l'eut-il ramenée au Club cosmopolite, Sanjeev repartait vers la clinique à toute allure lorsqu'elle entra dans sa chambre. Toujours allongé à la même place, Béliard ne dormait cependant plus ; il semblait s'être calmé, rasé, changé, rafraîchi. Il interrogea Gloire sur son emploi du temps.

– Je ne te conseille pas trop de fréquenter ce type, moi, si tu veux mon avis, conseillait-il un peu plus tard tout en faisant s'écouler les pilules brunes dans sa petite main. A ta place je m'en méfierais, de ce type.

Le type, cependant, examinait Sanjeev longuement et minutieusement : hormis ce coryza chronique, d'origine apparemment allergique, le jeune homme semblait jouir d'une excellente santé.

– Je vois ce que c'est, dit-il, je vais te prescrire un petit produit dont tu seras certainement content.

Au fond d'un autre tiroir de son bureau, Gopal s'en fut chercher une fiole emplie de poudre également brune, dont il fit glisser quelques grains dans un papier plié en huit formant un étui plat. Voilà, prescrivit-il, deux ou trois fois par jour par voie nasale et voilà, dix roupies.

Sanjeev revint au Club, s'installa sur la banquette arrière de son véhicule pour inhaler un peu de cette poudre, conformément aux instructions du docteur. De fait, tout de suite il s'en trouva très bien, s'affalant sur son siège en laissant planer son regard vers la fenêtre derrière laquelle Gloire et Béliard s'entretenaient de l'avenir. Et commençaient, au fond, de trouver le temps long.

17

Aux grands yeux bleus de Boccara, le temps semblait également long. Rien à faire dans la vie, ces jours-ci, que monter la rue des Martyrs et la descendre en attendant les consignes de Personnettaz.

Pour le moment, il la redescendait. Sous ses semelles crissaient, craquaient les fragments de verre Securit brisé, parfois fumé, répandus par petites plages sur les trottoirs et dans les caniveaux, au flanc des véhicules fraîchement vidés de leur autoradio. Il s'arrêta devant une officine de tatouage en vitrine de laquelle se trouvaient exposés toute espèce de modèles. Outre les motifs mineurs pour timorés – petites fleurs et petits animaux –, de plus vastes sujets réservés aux vrais amateurs représentaient des scènes entières, reines de la nuit, héros de la jungle ou léopards body-buildés. D'abord tenté, Boccara finit par renoncer. De toute façon sa montre lui fit savoir qu'il était temps, de la première cabine venue, d'appeler comme tous les jours Personnettaz.

Celui-ci, sans le concours du jeune homme, semblait avoir retrouvé la piste de Gloire : on repartait demain. Cette fois encore c'est assez loin, dit-il, moins loin que l'autre fois mais quand même encore assez.

– Attendez un peu, dit Boccara, on part où au juste ? (Ses yeux s'arrondirent.) Pardon ? (Il inspira vivement.) Non mais attendez, ça ne va pas du tout, ça. Il y a plein de sales maladies qui traînent, par là-bas. Comment je vais trouver le temps de faire les vaccins ?

– Ne t'inquiète pas, fit Personnettaz, je me suis renseigné. On n'a plus besoin de vaccins obligatoires.

– Et le palud ? fit valoir Boccara. C'est tout un traitement préventif, le palud. Avec tous les moustiques et puis l'humidité, la pluie. Il pleut considérablement, là-bas. Je le sais.

– Je me suis renseigné, répéta l'autre avec lassitude, la mousson est passée. Par contre il doit faire plutôt chaud.

– Ah bon, réfléchit Boccara, donc des vêtements légers, du coton. Je vais quand même tâcher de me faire prêter une moustiquaire. Et puis la pluie, quand même, on ne sait jamais. Je prends mon K-Way.

– C'est ça, dit Personnettaz, prends ton K-Way.

Vu les quelques avions que nous avons déjà pris, que peut-être nous prendrons encore, inutile de décrire celui dans lequel ils montèrent le lendemain. Il ne présente d'ailleurs nul signe particulier. Vol Air India, 747 de base, sans autre spécialité que le choix végétarien ou pas des repas, le sari corail des hôtesses, la moquette à ramages et la musique d'ascenseur assortie.

Non, rien de spécial à première vue sauf qu'au débarquement à Delhi Personnettaz aperçut d'assez loin un phénomène inhabituel. Comme il patientait derrière Boccara dans la file d'attente du contrôle douanier, il avisa soudain qu'une petite concentration de personnes se massait immédiatement au-delà de la guérite. Groupe souriant de toutes ses dents quoique d'allure officielle, composé d'uniformes de l'aviation civile et de complets administratifs, environné de fleurs et coiffé d'une banderole incompréhensible, quelques mots en hindi séchant ensemble sur un fil. Personnettaz grinça des dents lorsque les regards vifs, les grands sourires lui parurent d'abord s'adresser à lui. Puis comme on se rapprochait il devint manifeste que ce n'était pas sa personne qu'ils visaient, mais Boccara sur qui tout cela convergeait. Lequel Boccara, n'étant pas très en forme, mal de l'air, une main sur l'abdomen et l'autre sur ses lèvres, avançait sans avoir rien remarqué.

De fait, sitôt que le jeune homme eut franchi le contrôle, simultanément éclatèrent des flashes de photographes et des salves d'applaudissements, accompagnés d'une brève fanfare. Un petit homme enthousiaste à moustaches et complet foncé vint serrer chaleureusement la main de Boccara, son autre main cherchant ses lunettes dans sa poche et, dans une autre poche avec une troisième main, un bout de papier qu'il déplia puis qu'il entreprit de lire. Boccara qui ne maîtrise pas bien la langue anglaise se retourna, l'œil éperdu.

– Qu'est-ce qu'il raconte ?

Personnettaz, accablé, roulait nerveusement son passeport en boule comme un dernier paquet de cigarettes vidé.

– Il dit que tu es le millionième passager sur ce vol, traduisit-il. Il dit qu'ils ont l'intention de fêter ça.

– Et alors ?

– Alors on ne va plus se voir d'ici un moment, je crois.

De fait, après ses félicitations, le petit homme énuméra les divers avantages, cadeaux et croisières dont Boccara devenait l'heureux bénéficiaire. Lorsqu'on passa le premier collier de fleurs au cou de son assistant, Personnettaz leva les yeux au ciel. Lui non plus, seul côté couloir dans l'avion du retour, ne serait pas d'humeur à décrire ce vol.

Paris. Froid de canard, temps de chien. Tout le monde emmitouflé d'une humeur de chien. Même Donatienne, inhabituellement couverte, pas l'air commode, a gardé son manteau au bureau.

– Je piétine un peu sur les grandes blondes, fait observer Salvador.

– Nous piétinons partout, dit-elle, depuis le début.

– Plus d'angle, je n'ai plus d'angle, dit Salvador. Les mensurations font-elles un angle ? Qu'est-ce que tu penses de Jayne Mansfield ? Et qu'est-ce que tu penserais de l'angle extraterrestre ? Tu vois, quelque chose dans le genre : vous avez toujours cru que c'étaient de petits hommes verts. Eh non, ce sont de grandes filles blondes.

Donatienne aimant mieux se taire, c'est dans le silence que deux coups sont frappés contre la porte qui s'ouvre, aussitôt après, sur Personnettaz. L'homme a les traits tirés, l'œil trop brillant, la bouche amère. L'homme a l'air fatigué. L'homme s'est psychologiquement préparé à ne pas jeter un seul regard sur Donatienne, mais il ne peut s'en empêcher en douce. Sa vision périphérique lui signale un manteau. L'homme s'en trouve confusément rassuré. Tiens, Personnettaz, dit Salvador. Je vous croyais loin.

– J'ai perdu Boccara, dit Personnettaz.

Salvador le regarde sans comprendre, rétablissant le silence qu'aussitôt vrille dans le suraigu le rire de Donatienne. Sur elle, Personnettaz, en exposant les faits, s'oblige à ne pas poser le regard du tueur qu'il n'est pas, ayant échoué à l'examen pour ça.

– Vous ne pouviez pas continuer à chercher seul ? demande Salvador.

– Ce n'est pas dans mes habitudes, dit Personnettaz, je ne travaille qu'avec un assistant. Je veux bien continuer, mais il faut qu'on me trouve un autre assistant.

– Ça n'entre pas vraiment dans mes compétences, dit Salvador, je ne vois personne ici qui pourrait. Tu n'aurais pas une idée, toi ?

– Bien sûr que si, dit Donatienne.

– Vous voyez, dit Salvador, c'est ça qui est bien avec elle, elle a toujours de bonnes idées. Tu penses à qui ?

– Moi, résume Donatienne.

– Mon dieu quelle bonne idée, dit Salvador.

– Attendez un instant, dit Personnettaz, s'il vous plaît. Je préférerais pas.

– Je vais voir les horaires, organise d'ores et déjà Donatienne, Odile va voir pour les billets, Gérard va voir pour le visa, ça va plus vite avec Gérard.

– S'il vous plaît, répète Personnettaz. Ecoutez-moi deux secondes.

Or on ne l'écoute plus. Or sa vie va changer, il le voit, il le sait, il va le regretter. Boccara l'énervait souvent mais Boccara va lui manquer. Boccara pour qui c'est sûrement la belle vie, volant en première classe de palace en palace, copain comme cochon avec l'équipage, trinquant avec les pilotes à tour de bras, la stéréo à fond, coinçant l'hôtesse dans les toilettes et se faisant des lignes, pendant les vols de nuit, dans le coin cuisine en compagnie du steward, quand tout dort.

A ce propos, rue de la Pagode-Karaneeswarar, Sanjeev vient d'entrer dans le cabinet du docteur Gopal :

– Alors tu vas mieux ? demande celui-ci, tu es content de ton traitement ?

– Beaucoup mieux, répond Sanjeev. Très content.

Il paraît en effet content d'aller mieux, ses yeux rosissent de plaisir, ses pupilles s'étrécissent de joie. Son regard est fixement satisfait.

– Vraiment beaucoup mieux, insiste-t-il. J'en voudrais bien encore, de ce médicament.

– Ce n'est pas un problème, dit le docteur, je crois en effet que c'est ce qui te convient. Nous sommes en bonne voie de guérison, nous allons en conséquence modifier la posologie. Augmenter un petit peu les doses. Donc je vais te donner dix grammes de ce médicament.

– Dix grammes n'est pas beaucoup, croit se rappeler Sanjeev.

– Regarde, lui dit le docteur en expédiant le bout de ses doigts dans son tiroir.

Il en retire un étui de papier plié de la même façon que l'autre jour, mais cinq ou six fois plus volumineux. Dix grammes sont beaucoup plus que ce que Sanjeev croyait, Sanjeev est enchanté.

– Et puis tu vas cesser la voie nasale, prescrit le docteur, je te montrerai comment l'injecter, c'est tout simple.

– Si vous le dites, docteur, dit Sanjeev, comment vous remercier ?

– Rien du tout, dit le docteur, ne me remercie pas.

Comme tu vas le voir, c'est toujours dix roupies, je ne te demande rien en échange. Si, tiens, peut-être, un tout petit peu de ton sang, tu vois que c'est peu de chose. Tu n'y vois pas d'inconvénient ?

– Tant que vous voulez, s'égare Sanjeev.

– Cela doit rester entre nous, précise Gopal. C'est du sang, tu vois, c'est un peu comme un pacte.

– Bien sûr, hoche gravement Sanjeev.

– Donc ce n'est rien du tout, je vais t'en prendre juste un petit litre. Pas d'objections ?

– No problem, dit Sanjeev.

– Et puis tu reviens quand tu veux, tu sais, dit Gopal. Relève un peu ta manche.

18

– Il est dans un état lamentable, ce garçon, diagnostiqua Béliard quelques jours plus tard.

Il observait par la fenêtre ouverte, dans des jumelles à son échelle, Sanjeev totalement effondré sur le guidon de son véhicule en plein soleil parmi les plantes vertes, devant le portail du Club cosmopolite.

– Tu ne veux pas aller voir ce qu'il a ?

Grâce aux bons soins de Gopal, Gloire avait recouvré le sommeil, cessé de s'intéresser de trop près aux ventilateurs. Or nous étions en pleine heure de la sieste : pas trop envie, gémit-elle sans ouvrir un œil, fous-moi la paix. Vas-y, je te dis, insista Béliard. J'ai l'impression qu'il n'est pas bien.

Elle bâillait en longeant la bibliothèque vers le parking réservé aux rickshaws. Suite au passage d'avions-cargos, le ciel au-dessus de sa tête était raturé de réacteurs, couturé de balafres blanches qui cicatrisaient vite. Les ramures d'albizias frémissaient tranquillement sur son passage et les crapauds, cois dans leur mare, continuaient d'absorber l'animalcule. Gloire franchit le portail, s'arrêta un instant : de fait, vu d'ici, vraiment Sanjeev n'avait pas l'air très frais.

Il est vrai que, depuis quelque temps, les services du jeune homme faisaient montre d'un peu de relâchement. Ça n'allait pas. Deux ou trois jours contenu, son rhume avait non seulement repris de plus belle mais s'aggravait exponentiellement. Il toussait à présent, se voûtait. Sa belle équanimité même se lézardait à vue d'œil. Moins assidu, moins précis, Sanjeev se révélait plus irritable, âpre au gain voire dissimulateur. Cependant il gardait sans doute assez de confiance en Gloire pour consentir – lorsqu'elle vint le secouer délicatement, lui demander si tout allait bien puis, tant qu'on y était, le questionner en douceur sur ces récents changements – à désigner le médicament de Gopal comme leur probable responsable, associé au rythme trop soutenu des prises de sang. S'étant rapidement formé à l'administration d'intraveineuses, sa vie n'était plus que va-et-vient de seringues à double sens. Gloire le considéra fixement, sans rien exprimer d'abord. Attendez-moi là, lui dit-elle ensuite, je reviens.

– Je t'avais bien dit de te méfier de ce type, lui rememorait Béliard quand elle eut résumé la situation quelques minutes plus tard. Tu vois ce dont il est capable. Quoique, après tout, il t'a plutôt pas mal soignée. Holà, qu'est-ce que tu fais ?

– Je me change, dit Gloire en retirant sans méthode trois vêtements d'un placard. Tu avais raison, mais on ne peut pas laisser faire ça. Je vais lui demander des comptes.

Béliard couvrit son front de sa main : mais elle est folle ou quoi ? Je te le déconseille formellement, fit-il sur un ton d'évidence, ne te mêle pas de ça. C'est fait, c'est fait. Laisse tomber. N'y va pas. Attends. Reviens. Mais reviens. Mais vingt minutes plus tard, en nage, exorbité, Sanjeev déposait Gloire rue de la Pagode-Karaneeswarar.

Gopal la reçut immédiatement, regard toujours aussi volumineux derrière ses verres et sourire en stuc. Sans un mot elle s'assit en face de lui. On voit tout de suite que ça va mieux, dit le praticien, vous avez meilleure apparence. Je crois que le traitement vous convient bien. Nous allons poursuivre les soins mais je souhaiterais que nous commencions, aujourd'hui, par un peu de relaxation. Pour l'insomnie c'est bon, la relaxation. Je vous en foutrai, de la relaxation, répondit Gloire, vous êtes un beau salaud. Je vous demande pardon ? fit Gopal. Vous êtes une belle ordure, développa-t-elle, je sais ce que vous faites avec le petit. Le petit ? fit Gopal. Le petit qui a le rickshaw, précisa Gloire. Lequel ? sourit Gopal. Vous êtes un dégueulasse, insista Gloire, je devrais vous dénoncer pour vous faire coffrer, d'ailleurs je vais vous dénoncer pour vous faire coffrer. Bien, dit Gopal en notant posément ce nouveau symptôme sur un bloc, très bien. Il se tut un instant.

Je vois ce que c'est, dit-il enfin, je vous comprends. Mais je crains que vos intérêts ne soient pas là, je vais prévenir mon collaborateur. Je vous préviens, dit Gloire, pas d'histoires. On sait que je suis là. Naturellement, dit le praticien, n'ayez pas d'inquiétude, mon collaborateur va tout vous expliquer. Tendant un doigt vers le gros poste téléphonique, il pressa un bouton : aussitôt, à l'autre bout de la pièce, un rideau fut tiré. Fil de moustache électrifié, sourire de gélatine et l'œil aigu, la silhouette mince du superintendant parut.

Deux heures plus tard, Béliard flemmardait en sous-vêtements sur le lit de Gloire quand elle revint. Son maquillage léger s'était défait, son premier mouvement fut de foncer se servir un verre au mini-bar. Qu'est-ce qui t'arrive, fit l'homoncule, tu as vu ta tête ? Tremblante, elle visait mal, laissait couler l'alcool parallèlement au verre. Tu n'imagineras pas, dit-elle, tu n'imagineras jamais.

– Je pense que si, dit placidement Béliard. Tu es tombée sur le superintendant, c'est ça ?

Bien qu'en principe il ne détienne que les informations données par Gloire sur ses allées et venues, décidément il semble que Béliard, par d'autres sources ou double vue, soit au courant de tout ou partie de la vie de la jeune femme. Qui n'y prend plus garde, qui s'assied sur le lit. Raconte quand même, dit-il. Eh bien voilà. Ils s'étaient renseignés, ils avaient l'air au courant de tout. Ils savaient qu'on la recherchait. L'enquête semblait avoir été menée par le superintendant, qui avait transmis à Gopal ses renseignements sur Gloire. Lui représentant qu'ils avaient intimement partie liée avec la police locale, tous deux l'avaient menacée des pires ennuis si elle tentait de les déranger.

– Mais, s'exclama Béliard, tu leur as quand même dit que tu avais payé. Tu n'a plus rien à te reprocher, en principe. On n'a plus aucune raison de te chercher.

Bien sûr qu'elle l'avait dit. Mais Gopal : qu'est-ce qui nous empêche par exemple, lui avait-il fait remarquer, de nous intéresser à votre petit séjour en Australie ? Gloire ne maîtrisait pas terriblement sa voix en lui demandant ce qu'il voulait dire. (C'est malin, commenta Béliard.) Je ne veux rien signifier de spécial, avait souri Gopal, on parle, c'est tout. On parle de vous, on peut faire parler de vous, on ne le fera pas. On pourrait avoir besoin de vous. Quoi, avait répété Gloire, vous voulez dire pour quoi ? (De mieux en mieux, nota Béliard.) On verra, lui avait dit Gopal, vous allez voir qu'on se reverra. Voilà.

Béliard réfléchit un instant puis haussa les épaules.

– C'est du bluff, l'Australie, dit-il, personne ne peut savoir. Je le sais, j'étais là. Personne. Ils ne peuvent rien contre toi.

Il fit courir vivement l'arête d'un ongle entre ses deux dents les plus jaunes, eut un bref regard sur sa prise.

– Evidemment, peut-être qu'il y aurait un moyen, poursuivit-il, tu veux qu'on se débarrasse d'eux ? Tu sais qu'on peut toujours le faire. La technique habituelle, un petit précipice et hop.

– Non, dit Gloire, on ne peut pas. Ils sont nombreux, je crains qu'ils soient organisés.

Ils l'étaient certainement. Les nombreux serviteurs traversaient tout le jour leur logement sous le moindre prétexte, arroser les plantes et faire le ménage, apporter du thé, la presse du matin, celle de cinq heures avec encore du thé, le linge et les spirales antimoustiques du soir. On avait toute raison de voir en chaque boy un informateur potentiel de Gopal via le superintendant.

Les jours suivants ne furent pas très gais, Gloire ne parlait plus qu'à Béliard, plus confiance en personne, elle en vint à soupçonner le bibliothécaire et même le mari de l'hospitalisée. Comme au plus fort de l'insomnie de la semaine dernière, elle se remit à garder la chambre, fermant sa porte au personnel, n'allant déjeuner qu'après que tous avaient regagné la sieste générale.

Or tous, hélas, ne dormaient pas. Un après-midi, comme elle quittait le restaurant vers trois heures elle aperçut, accoudés au bar limitrophe, Gopal en compagnie du superintendant. Les deux hommes paraissaient plongés dans une solide conversation. Gloire se fit aussi discrète que possible, passant comme une ombre à distance. Mais si Gopal était fort myope, le superintendant pas. Après un coup d'œil vif, il eut un mot rapide en se penchant vers le praticien qui se tourna brusquement vers la jeune femme. Quelle ravissante surprise, fit-il, un petit rafraîchissement avec nous ?

Mais rien de rafraîchissant dans ses propos. Justement je désirais vous revoir, dit-il, vous ne pouvez pas refuser. J'aimerais vous confier un objet que je veux faire parvenir à mon parent de Bombay. Vous savez que la poste, ici, rigola-t-il, c'est un peu comme chez vous l'Italie, j'aimerais mieux que ça se passe en mains propres, par courrier privé. Ça vous dit de vous en occuper ? Voyage payé, bien sûr.

– Je vois ce quc c'est, dit Gloire.

– Je pense bien que vous voyez, dit Gopal, mais je pense que vous le ferez.

– Pas question, dit Gloire.

– Vous avez tort de vous méfier, fit valoir Gopal. Ça ne vous engage à rien, vous ne risquez rien, bien sûr je vous dédommage. Vous n'allez pas me refuser ça, répéta-t-il. D'autant que, selon ce que je sais, ce serait mieux de vous absenter quelques jours d'ici.

Gloire se leva : vous voulez dire quoi ? Je vous dis

ce que je sais, répondit Gopal, je vous le dis comme je le pense. Laissez-moi réfléchir un peu, dit-elle. Mais naturellement, dit Gopal, réfléchissez. Même si ça ne sert à rien, c'est la moindre des choses. Rentrée dans sa chambre, elle consulta Béliard.

– On pouvait s'en douter, dit-il. Bon, qu'est-ce qu'on fait ?

– C'est toi qui dis, fit-elle, c'est toi qui as les idées.

– Mon idée, c'est qu'on marche, dit Béliard. Ça va nous changer d'air. Et puis, questionna-t-il, qu'est-ce qu'on a à perdre au point où on en est ?

– Je ne sais pas, dit-elle. Comme tu veux.

– Oui, dit Béliard, autant s'éloigner. Et puis on sera plus tranquilles à Bombay. C'est grand, c'est anonyme, on nous foutra la paix. D'ailleurs je ne connais pas du tout, moi, Bombay. C'est bien ?

Elle ne répondit pas tout de suite. Assise de travers sur le lit, jambes croisées, elle feuilletait du pouce l'exemplaire de la Bhagavad-Gita déposé à demeure en compagnie d'une Bible dans la table de chevet.

– Tu étais où ? fit-elle.

– Quoi, où ? conjonctionna Béliard. Quand ?

– Quand j'étais à Bombay, où tu étais ? Tu es vraiment resté à Sydney ?

– Ne m'énerve pas avec ça, dit Béliard, tu sais bien qu'on ne parle pas de ça. J'ai le droit d'avoir ma vie. Va plutôt lui dire qu'on marche.

Puis, Gloire ayant regagné le bar :

– Je n'en ai jamais douté, dit Gopal. Eh bien vous partirez demain matin.

– Déjà ?

– Croyez-moi, dit Gopal, c'est dans votre intérêt.

19

Pour indélicat, duplice et corrompu que fût sans doute le docteur Gopal, cette fois au moins il n'avait pas menti. Dans l'après-midi du lendemain, une limousine locative Ambassador pourpre, mais dépourvue d'air conditionné, roulait doucement le long de la rue du Cénotaphe en direction du Club cosmopolite.

La rue du Cénotaphe est une petite artère calme, résidentielle quoique poussiéreuse, presque une allée bordée de grands acacias qui jaillissent de buissons embrassés. Tous les cent mètres s'y suivent de vastes villas blanches au toit plat coiffé d'antennes paraboliques, au portail surmonté d'un avis qui met en garde contre un chien, bien qu'on n'aperçoive jamais de chien, et flanqué d'une guérite où somnole un vigile en tenue paramilitaire kaki déboutonnée, ceinturon, badge et béret penché. Ceintes de jardins clos de murs, les villas n'excèdent jamais deux étages agrémentés de terrasses à degrés, de tourelles, de balcons et d'auvents protégés par des stores, des bâches, des canisses ou de modernes variantes de moucharabiehs.

On ne rencontre pas tellement d'habitants de ces demeures. Parfois, au loin, des silhouettes en pyjama clair traversent très vite la rue d'un portail vers un autre portail. Sans doute la domesticité. Sous un patio, derrière des grilles nattées d'arbustes, un vieil homme seul, chauve, myope et moustachu se laisse aller et venir sur une balançoire à faible amplitude. Mais comme vous le regardez il vous regarde et vous baissez les yeux, la température avoisine trente-cinq degrés. Tout est calme, on n'entend presque rien. Une grande lumière blanche use les reliefs et les couleurs des choses, au point de confisquer l'une de leurs trois dimensions. Bref, c'est dimanche.

L'Ambassador était, pour le moment, le seul objet brillant de ce monde pâle. Roulant à faible allure, elle croisait peu de monde sur son passage. Un cycliste transportait un bidon beaucoup trop gros pour sa monture, mais cinq minutes plus tard un autre cycliste transportait deux bidons aussi gros. Trois femmes venues de quartiers moins pourvus liaient en fagots des branches mortes de casuarine. Du ras du sol au bleu du ciel voletaient des papillons, voltigeaient des perruches et s'élançaient des escadrilles de corneilles. Un couple homosexuel de rats palmistes, avant de s'engager sur la chaussée, risquait des coups de museau pusillanimes à gauche, à droite, à gauche, etc.

Deux aigles tournant en rond se reflétaient sur le toit de l'Ambassador dans laquelle trois personnes réfléchissaient, chacune à sa manière, à différents sujets tels que le sexe, par exemple, ou l'argent. L'homme occidental installé à l'arrière y pensait confusément, toujours vêtu de son costume paille froissé. La femme assise à côté de lui – ensemble en coton clair acheté deux jours plus tôt dans un magasin parisien d'habits tropicaux – y songeait plus rêveusement. Seul le chauffeur local, en pantalon de toile et chemisette au plastron souillé, s'interrogeait de façon plus frontale sur les mensurations de cette dame et sur les revenus de ce monsieur.

Le monsieur prononça deux mots brefs dès que la rue du Cénotaphe envisagea de croiser une étroite voie privée qui s'enfonçait, après un coude, sous un manguier. On l'emprunta. On avait une bonne vue, on vit qu'au loin, à hauteur d'un portail, cette voie se trouvait barrée de blocs ralentisseurs en ciment près desquels, parallèle à la barrière dressée, un panneau bilingue informait le public de l'interdiction d'entrer au Club cosmopolite, et de ce que tout intrus serait poursuivi. Suite à deux autres mots brefs, la voiture se gara cinquante mètres en deçà du seuil. Bon, dit Personnettaz, je crois que c'est là, j'y vais. Vous m'attendez ici.

– Je vous demande pardon, fit Donatienne, mais je viens avec vous.

– Non non non non, déclina Personnettaz sur tous les tons, il a toujours été convenu que ces tâches m'incombaient.

– Mais je dois être là, insista Donatienne, je suis là pour ça. A quoi je sers, moi, sinon ?

– N'insistez pas, trancha Personnettaz. Vous n'avez pas la formation, de toute façon.

Pauvre con, murmura Donatienne dès qu'il eut claqué la portière. Puisque c'est comme ça, je vais m'envoyer le chauffeur, tiens. Mais somme toute elle n'en fit rien, s'immergeant dans un guide touristique de la région pendant que le chauffeur, heureusement inconscient de ce qu'il venait de manquer, s'intéressait à la page Spectacles du *Sunday Standard*.

Sur la foi du plan fourni par ses informateurs, Personnettaz se dirigea vers l'annexe du Club abritant les hôtes de passage. Son matériel pesait un peu trop dans ses poches mais sans les déformer – lampe-torche miniature et trousseau de clefs dans celle de gauche ; à droite, on ne sait jamais, un petit pistolet. Il ne croisa personne sur son chemin jusqu'au seuil de l'annexe, traversa l'entrée vers l'ascenseur ouvert, y pénétra. Pendant moins d'une minute que dura l'ascension, cette fois il se considéra dans le miroir qui occupait le fond de la cabine.

C'est dans les miroirs d'ascenseur qu'on a l'air le plus fatigué. Et peu importe le sens du véhicule : qu'on descende ou qu'on monte, c'est l'image qu'on a de soi qui dégringole toujours. On s'inquiète, on se demande pourquoi, qu'a-t-on fait la veille pour mériter ça. Mais on a tort de s'alarmer, ce n'est qu'un effet de plafonnier. C'est sa lueur verticale et terne qui rend le visage terreux, approfondit les rides et tire les traits, bouffit les poches au-dessous des yeux. Sous éclairage rasant, le miroir démultiplie la mauvaise mine à la vitesse de l'ascenseur. Il s'agit donc, essentiellement, d'une illusion. Mais Personnettaz n'est pas au courant. J'ai vieilli, nom de Dieu, pense-t-il. Je n'aurais pas cru que ça m'arriverait. On peut se demander si la présence de Donatienne ne pousserait pas cet homme, ordinairement peu soucieux de son apparence, à interroger sur ce chapitre un miroir. On peut se demander s'il en est conscient. On peut aussi s'en foutre éperdument.

Il repoussa la grille de l'ascenseur : toujours nulle âme qui vive dans la perspective du couloir, qu'il suivit sur la pointe des pieds jusqu'à l'appartement 32.

Doucement il frappa à la porte, sans réponse, plusieurs fois. Après deux coups d'œil latéraux de rat palmiste, il saisit délicatement la poignée qu'il fit tourner sans bruit. S'attendant à ce qu'elle résistât, il sélectionnait d'avance dans son trousseau le passe qu'il conviendrait d'utiliser. Mais au bout d'un quart de tour à peine la porte s'ouvrit comme d'elle-même. Plongeant une main dans sa poche, Personnettaz la referma, sait-on jamais, sur le petit pistolet.

Traversant d'abord une antichambre opaque, sans autre mobilier que deux patères au mur désaffectées, Personnettaz entra dans un grand salon vide. Rideaux tirés, meubles rangés, nulle trace ne témoignait d'une occupation quelconque. A droite une porte s'ouvrait sans doute sur une chambre : en effet ; vide également. L'homme tourna pensivement sur lui-même : rien, du moins pas un objet personnel en vue. Il inspecta les rayonnages et les tiroirs, les corbeilles à papier sans trouver de boîte d'allumettes ni d'épingles à cheveux, pas plus de facture que de prospectus ou titre de transport froissés comme on en laisse toujours dans les hôtels. Nul mégot dans les cendriers nettoyés. Il ouvrit les nombreux placards sans plus de succès – hormis le dernier dans lequel reposaient, empilées au dernier étage, toutes les étoffes achetées l'après-midi par Gloire quand elle n'avait rien d'autre à faire. Personnettaz les défit l'une après l'autre, sans découvrir le moindre indice entre leurs plis. Rien de rien. L'envie lui prit, sous l'empire du dépit, de lacérer une de ses étoffes et puis l'idée lui vint, sous un empire plus imprécis, d'en rapporter une autre à Donatienne, toutes deux il les repoussa.

Sachant d'avance qu'il n'y trouverait pas même un cheveu, son examen de la salle de bains fut de pure forme, il revint au salon. Le silence y était absolu, quoique grêlé par une rumeur lointaine qui le multipliait encore. A l'évidence, l'appartement avait été vidé avec soin mais depuis très peu de temps, semblait-il, car y flottaient encore certains proches échos de parfums, de paroles, de soupirs et de claquements de talons hauts.

Une toux retentit dans le dos de Personnettaz, qui tourna la tête : un boy outillé d'une wassingue et d'un seau le considérait avec intérêt, posant une question que Personnettaz fit répéter. Le boy souhaitait savoir s'il pouvait nettoyer. Personnettaz trouvait que c'était déjà très bien nettoyé. Mais bien sûr, dit-il quand même, allez-y. Justement je m'en vais.

A l'arrière de l'Ambassador, Donatienne s'était assoupie, sur son volant le chauffeur indigène dormait aussi – double sommeil assez intime qui laisse envisager que la jeune femme, somme toute, avait pu se raviser. Mais cette hypothèse ne traversa pas l'esprit de Personnettaz, qui toucha légèrement l'épaule de Donatienne. Comme elle ouvrait les yeux :

– Bon, lui dit-il, j'ai l'impression que c'est raté.

20

D'une autre officine Xerox-télex-fax proche du Club cosmopolite, Donatienne appela Salvador dans la matinée du lendemain vers neuf heures. Les trente degrés déjà installés sur la ville bondirent à cinquante dans la cage de verre à toit de zinc, Donatienne aussitôt fut en nage pendant que Paris, là-bas, flottait dans une obscurité glacée, à l'heure où tard dans la nuit va se rhabiller en tôt le matin. Sans doute Salvador dormirait-il encore, mais la jeune femme n'éprouvait pas de scrupule à le réveiller. Et puis non, il ne dormait pas. Il ne s'était même pas couché.

Présentement saoul comme un Polonais, Salvador rencontrait quelques difficultés à rester simplement assis devant sa table, se retenant des deux mains au bord de ce meuble couvert de documents. Sous ses yeux, sur un grand bristol maculé par les traces de nombreux verres – entrelacs de circonférences esquissant une version ivre morte de l'emblème olympique –, quelques mots étaient tracés d'une main mal assurée : les adjectifs *brunes* et *blondes* l'un au-dessus de l'autre, puis les substantifs *cigarettes* et *bières* également superposés en vis-à-vis, un réseau compliqué de flèches et d'accolades reliant ces deux colonnes. Dans le coin supérieur droit du bristol se trouvait isolément porté le mot *rousses,* entre parenthèses et suivi d'un point d'interrogation. Selon toute apparence, les recherches de Salvador marquaient un temps plus mort encore que d'habitude. Un transistor posé sur un coin de table diffusait un programme continu de musique tropicale, presque imperceptiblement.

– Ah, bafouilla Salvador en décrochant, c'est toi. Tu tombes bien, je me sentais un peu seul, là. Tu es où ? Tu ne veux pas venir ?

Donatienne leva les yeux au ciel.

– Ecoute, dit-elle, on l'a encore ratée. C'est un monde qu'on ne puisse pas mettre la main sur cette fille, quand même.

– Oui, fit Salvador pâteusement, je m'en fous. On s'en fout. Viens.

– Ne sois pas idiot, cria Donatienne, arrête. Je suis à six mille kilomètres, je crève de chaleur et j'en ai un peu marre, tu vois ?

– Ah oui, oui, dit Salvador sans paraître comprendre, écartant un instant le combiné de son oreille pour s'occuper de son verre vide. Moi aussi, reprit-il, j'en ai marre, tu sais, plus que marre. Peu de le dire que plus que marre.

– Bon, se calma Donatienne. Mais tu travailles, quand même ? Tu avances ?

– Ma foi je n'arrive à rien, fit Salvador, je piétine mais je m'en fous également. Je m'en fous, tu comprends ? répéta-t-il avec enthousiasme. Vraiment tu ne veux pas venir ?

– Non, soupira la jeune femme, pas tout de suite. Je te rappellerai.

Attends, attends un peu, insistait Salvador dans sa nuit – bien après que Donatienne eut raccroché, quitté la cabine et retrouvé Personnettaz dans l'Ambassador. Alors, s'enquit Personnettaz, qu'est-ce qu'il dit ? Rien, dit la jeune femme, il n'a pas l'air bien. Mais où est-ce qu'elle pourrait être maintenant, cette conne ? se demandait-elle ensuite entre ses dents.

Innocemment, cette conne pensait qu'on la laisserait en paix quand elle se serait acquittée de sa mission. Arrivée à Bombay, descendue à l'hôtel Supreme, sa chambre était élémentaire : pas plus d'air conditionné que de téléviseur, une salle d'eau cimentée, un fauteuil en skaï dur, une seule chaise, une seule table au fond du tiroir de laquelle Gloire enfouit le paquet confié par Gopal – paquet soigneusement scotché, format de brique mais consistance molle comme s'il contenait de l'eau, du gel pharmaceutique ou de l'air –, avant de composer le numéro noté par le docteur sur un coin d'ordonnance (V R Moopanar, 2021947). On n'avait pas dû remplacer le téléphone depuis les Anglais, son cadran tournait avec une irritante lenteur de blatte gazée mais des sonneries se déclenchèrent, enfin, à l'autre bout du fil : on décrocha.

Ce devait être une vaste entreprise car, après que Gloire eut demandé à parler à M. Moopanar, une voix haut perchée de standardiste lui conseilla d'abord de ne pas quitter. Déclic. Autre voix féminine plus contraltiste, même demande et même conseil, autre déclic. Puis organe mal à l'aise de jeune homme circonspect : double déclic après lequel un homme plus mûr et calme, sans doute assis dans un meilleur fauteuil, souhaita en savoir plus : nom, prénom, qui vous recommande ? Lui aussi conseilla de rester en ligne quand Gloire eut mentionné le nom de Gopal. Triple déclic suivi d'un bourdon. Nouvelle voix de femme exécutive, précise, style secrétaire de direction : double bourdon. Plus confortable et joviale, la dernière voix semblait être enfin celle de V R Moopanar soi-même.

– Ah, Gopal, s'exclama Moopanar, je vois très bien. Attendez voir, c'est celui d'Hyderabad ou celui de la rue TTK ?

– Ma foi, dit Gloire, je ne sais pas trop. C'est une clinique rue de la Pagode-Karaneeswarar.

– Parfait, coupa l'autre, je vois parfaitement. Où êtes-vous descendue ? Le Supreme, ah tiens, vous êtes sûre que vous y êtes vraiment bien ? Enfin bon, rendez-vous au bar, d'accord ? J'arrive. Nous arrivons.

Il parut trente minutes plus tard. Talqué, bagué, moustache cirée, replet dans son complet croisé framboise, Moopanar souriait, souriait, souriait ; un diamant incrusté dans l'une de ses canines sonnait, chaque fois qu'il souriait, comme un bumper de billard électrique. En retrait, inverse de sa personne, sanglé dans du chocolat cintré, le flanquait un jeune homme glabre et sec frappé d'un strabisme spécial : œil gauche fixe de tueur, œil droit très mobile de garde du corps. Bien qu'il n'accordât qu'un intérêt mineur à l'envoi de Gopal, n'y jetant pas même un regard en le passant à son assistant, Moopanar se montra très affable avec Gloire, espéra qu'elle avait fait bon voyage, pas trop fatiguée, bienvenue à Bombay. Connaissait-elle un peu de monde en ville, ne serait-elle pas trop seule, n'allait-elle pas s'ennuyer. Pas question qu'elle s'ennuie : pouvait-il se permettre de l'inviter à une soirée qu'il donnait justement le soir même, chez lui. Quelques amis. L'occasion de prendre contact et de se lier. Son diamant sonna quatre fois – suivies de la détonation sèche d'une partie gratuite – lorsqu'il insista sur tous les avantages, dans Bombay, d'être lié. Je ne sais pas trop, dit Gloire, le fait est que je suis un peu crevée. C'est naturel, dit Moopanar, je vous laisse vous reposer. Je vous rappelle en fin d'après-midi. Une voiture pourra venir vous chercher. Remontée dans sa chambre,

Gloire consulta Béliard : qu'est-ce que je fais ? Vas-y toujours, suggéra l'homoncule, on ne sait jamais. Qu'est-ce que tu risques ? On verra après.

Moopanar occupait le penthouse d'une résidence de luxe dans les hauteurs de Malabar. D'un pan de la terrasse ou de l'autre, le regard plongeait sur la mer d'Oman, sur la baie, le quartier des blanchisseurs ou les jardins suspendus. Des tables avaient été dressées, supportant de quoi saouler et gaver deux cents personnes bien qu'on ne fût qu'une petite centaine : l'entourage immédiat de V R Moopanar, d'abord, toutes ses maîtresses et tous ses frères et tous les frères de ses maîtresses et toutes les maîtresses de ses frères. Puis des collègues de Moopanar semblablement accompagnés de leur suite, certains industriels, un vice-ministre, un député du parti du Congrès, trois hommes d'affaires hongrois sans leurs épouses ainsi que cinq ou six putes. Quelques professionnels du cheval enfin : propriétaires, entraîneurs, jockeys. Tenues occidentales et régionales mêlées, smokings et châles, tailleurs, saris, pyjamas et mini-jupes, turbans, twin-sets, pas un auriculaire sans son joyau.

Chaudement présentée par Moopanar, Gloire se mêla à quelques groupes, souriant et parlant peu, feignant de méconnaître l'anglais, paraissant absente des conversations. Bien qu'autour d'elle on discutât business assez librement, elle avait un peu de mal à se faire une idée précise des activités des uns comme des autres. Puis elle finit par se lasser : un Antiquity sur glace à la main, elle quitta la terrasse pour aller visiter l'appartement.

Un large couloir y distribuait quantité de chambres aux murs très vivement peints. Par leurs portes ouvertes Gloire les inspecta l'une après l'autre comme un catalogue de sorbets. Chacune était dallée d'un ton de marbre assorti, ciré comme un parquet, tellement encaustiqué qu'il prenait un air de linoléum. Ces chambres n'étaient pour la plupart meublées que d'un grand lit, d'un grand lustre et d'un grand tapis de Cuddalore ou de Masulipatam, parfois d'une peau de tigre avec sa tête et toutes ses dents. La porte d'une seule chambre n'était qu'à moitié poussée : Gloire l'ouvrit avant de la refermer aussitôt vivement, le temps d'entrevoir un couple en train de s'agiter sur un lit. Elle s'était éloignée, troublée, puis doublement troublée en s'avisant qu'un des visages de ce couple, à peine entraperçu, ne lui était peut-être pas inconnu. Elle s'arrêta, revint sur ses pas, repoussa légèrement la porte et ne reconnut Rachel que lorsque celle-ci se mit à crier oui encule-moi maintenant, Biplab, tu aimes ça, s'il te plaît. Ça alors, se dit Gloire, elle est toujours avec Biplab.

C'était tellement inattendu que Gloire, contre tous ses principes, resta figée dans l'embrasure sans pouvoir détacher son regard – jusqu'à ce que Rachel, joignant le geste à la parole et se retournant sur le lit, croisât son regard et poussât un nouveau petit cri sur un ton différent. Gloire, confuse, s'en fut aussitôt. Mais à peine avait-elle fait quelques mètres dans le couloir que, pieds nus claquant sur le marbre, Rachel la rejoignait en courant, sommairement enveloppée dans un peignoir de coton. Qu'est-ce que tu fais là ?

– C'est un peu long à expliquer, répondit Gloire. Et toi ?

Si Rachel, en peu de temps, n'avait pas changé, par contre sa vie s'était transformée. Lasse de voyager sans projet ni méthode, elle s'était donc liée avec le jeune businessman Biplab, rencontré près de l'embarcadère d'Elephanta. Or Biplab, fraîchement recruté dans la compagnie Moopanar et vite monté en grade, lui assurait une vie facile à Bombay, une oisiveté sans mélange ainsi qu'une paix royale. Il est gentil, dit-elle, et puis tu sais, lui ou un autre.

– Je sais, dit Gloire. Mais qu'est-ce que c'est, au juste, cette compagnie ?

– Quoi, fit Rachel, tu n'as pas compris ?

Au fond du couloir, rhabillé de neuf et large sourire, le jeune businessman venait de paraître et se dirigeait vers Rachel, manifestement fou d'amour. Va prendre un verre sur la terrasse, lui dit-elle, je te rejoins dans une minute.

D'après ce qu'elle avait compris des activités de Gopal, Gloire avait supposé rencontrer à Bombay ses homologues, trempant comme lui dans le négoce des narcotiques et du sang. Or, expliqua Rachel, ces deux marchés se conglutinent en un réseau beaucoup plus vaste et développé dont la compagnie Moopanar constituait un des centres nerveux. De ce consortium de trafics en tous genres, économie mondiale alternative à moins qu'elle ne fût la seule vraie, Rachel lui dressa un tableau en trois volets. Biens, services, méthodes.

Les biens : valeurs classiques, d'abord, telles qu'explosifs militaires, armes de guerre, devises, alcool, enfants, cigarettes, matériel pornographique, contrefaçons, esclaves des deux sexes, espèces protégées. Puis de nouveaux secteurs, ces derniers temps, paraissaient en pleine expansion. Les organes humains par exemple – reins et cornées prélevés sur les champs de bataille d'Europe de l'Est, dans les cliniques marronnes d'Amérique centrale ou du sous-continent, sang plus ou moins correct pompé un peu partout – constituaient un marché non moins actif que celui des produits radioactifs traînant en provenance des centrales démantelées de l'Est : uranium, césium et strontium à la pelle, plutonium comme s'il en pleuvait.

Des pavots gigantesques, au rendement miraculeux, croissaient d'ailleurs à toute allure autour de ces centrales désossées, contribuant à nourrir le marché traditionnel des stupéfiants, autre spécialité de la compagnie Moopanar. Rajoutez quelque vingt mille marques de faux médicaments, et voilà qui produit masse de bons narcodollars, d'excellents narcomarks indispensables pour entretenir un personnel profus de chimistes, de recycleurs et de sicaires.

Quant aux services, les sicaires tenaient aussi leur partie dans toute sorte de rackets et de rapts avec rançon, d'extorsions de fonds, taxes à la protection, jeux et prostitution, détournements de subventions au développement, distraction de l'aide internationale ou des fonds communautaires, caisses noires et travail noir, escroqueries à l'investissement, traitement spécial de déchets nocifs, sous-traitances imposées, faillites illicites et fraudes à la politique agricole commune, bref tout un monde.

Oui, le monde et la vie regorgent de choses à faire, et pour qui sait s'y prendre avec méthode ils regorgent d'argent, recueilli par des collecteurs cravatés de clair sur chemise foncée – puis blanchi par une arborescence de casinos et de palaces, pizzerias et salons de coiffure, instituts de massage, lavomatics, stations-services – puis viré sur des comptes inviolables à Bad Ischl, à Székesfehérvár ou dans les îles anglo-normandes. Mais, tout cela, Gloire l'avait déjà plus ou moins lu dans les journaux, elle commençait à se fatiguer de ces explications. Elle préférait, dans l'immédiat, prendre Rachel dans ses bras.

– Bon, dit-elle doucement dans son oreille, mais dis-moi, qu'est-ce que je fais là, moi ?

– Ils t'expliqueront vite, répondit Rachel à travers les cheveux de Gloire, ça ne tardera pas. Viens.

Elles étaient retournées vers la chambre, cette fois Rachel avait plus soigneusement fermé la porte, elles étaient tombées sur le lit. Et quelques heures plus tard, de retour au Supreme, Gloire rendait compte à Béliard de sa soirée à quelques détails techniques près.

– Je vois ce que c'est, dit l'homoncule, je comprends que ça t'amuse. Quand même, fais attention. Peut-être qu'on ne devrait pas faire de trop vieux os dans le coin.

21

Le lendemain de la soirée chez Moopanar, celui-ci téléphona au Supreme pour prévenir Gloire qu'il lui avait trouvé un autre hôtel, mieux assorti à sa personne. Une voiture passerait avant midi la prendre avec ses affaires. Ça se précise, commenta Béliard.

L'obscurité glaciale du restaurant, les chasseurs costumés en dompteurs et les liftiers en icoglans dénotaient assez le prestige de ce nouvel établissement. Au dernier étage d'un building blanc dressé sur Marine Drive, la nouvelle chambre de Gloire était six fois plus vaste qu'au Supreme, décorée dans les bistres et dotée du confort moderne – réfrigérateur, téléviseur, conditionneur et baignoire à deux places. Un petit balcon par-dessus le vide supportait une chaise longue et la baie donnait sur la baie.

Gloire y reprit vite ses bonnes habitudes. Levée tard, elle passait les fins de matinée sur le balcon, l'œil mi-clos sur l'immense plage peu fréquentée, parsemée d'attractions décrépites, toboggans et tourniquets rouillés. La mer malpropre était lointaine, le sable n'était que poussière. Des passants le foulaient isolément, sans but balnéaire, parfois derrière un char à bœufs. Parfois on distinguait un cheval dans le fond, galopant dans la frange d'écume. Etendu comme d'habitude sur le repose-pied du transatlantique et vêtu de son seul bermuda, Béliard prenait le soleil près de Gloire. Fais quand même attention, lui avait-il conseillé, ne les laisse pas te prendre trop en charge. Il ne faudrait pas qu'ils aient barre sur toi. Insiste pour payer l'hôtel.

Moopanar, cependant, se faisait très discret. Il appelait brièvement de temps en temps pour s'assurer que Gloire ne manquait de rien, sans rien imposer ni même proposer – sinon d'honorer de sa présence les soirées qu'il continuait d'organiser sur sa terrasse deux ou trois fois par semaine. Un peu toujours pareil, ces soirées, Gloire finit par n'y passer qu'une fois sur deux. Un jour elle avait accepté de suivre Moopanar, en compagnie de Rachel, au champ de courses où l'un de ses chevaux nommé Telepathy se voyait coté à quatre contre un ; le surlendemain, ils avaient assisté à un match de polo dans lequel s'affrontaient d'autres sujets de son élevage.

Mais dans l'immédiat, donc : soleil. Puis, vers deux heures, Rachel frappait légèrement à la porte. File, disait alors Gloire à Béliard qui s'éclipsait de mauvaise grâce, avec un œil boudeur de scoptophile dépossédé. Parfois il se levait tout seul dès qu'on avait frappé, sans attendre que Gloire lui enjoignît de détaler mais n'en faisant pas moins la gueule. Les jeunes femmes se reposaient un moment dans la chambre avant d'aller déjeuner longuement au restaurant de l'hôtel – cubes de volaille et de poisson macérés, yaourt au bhang. Puis, une fois la grande chaleur passée, elles retournaient comme avant traîner en ville, du côté de Chor Bazar ou de Banganga Tank, s'attardant près des réservoirs à l'ombre des immeubles. Des singes, des hommes et des enfants jouaient sur les toits-terrasses. Les hommes guidaient, en agitant des linges, les mouvements de pigeons groupés en pelotons dans le ciel, les enfants gouvernaient ceux de leurs cerfs-volants, les singes se poursuivaient à l'à-pic des façades, jamais on ne voyait jouer aucune femme.

La nuit venue, elles dînaient au Yacht Club, où quelquefois Biplab les rejoignait avant de repartir prendre son service chez Moopanar. Ensuite, presque aussi gaies qu'au premier soir, elles passaient vider quelques verres au bar du Taj toujours plein d'étrangers, rencontraient là d'autres jeunes femmes – dont une assura, certain soir, répondre au nom de Porsche Duvall – mais aussi des hommes, des garçons. Les hommes étaient plus frontaux, plus ombrageux que les garçons avec lesquels on pouvait négocier plus souplement, bien que les amis et les ennemis des femmes fussent, chez les uns comme chez les autres, également représentés. Bref, nul autre souci, vie facile, paix royale. Gloire n'avait même plus à redouter les menées de Personnettaz et des autres, Gopal ayant assez brouillé les pistes pour qu'ils aient actuellement perdu sa trace.

Cependant il arrivait qu'elle ne trouvât plus sa juste mesure, ne s'entendît plus elle-même dans le concert incessant des klaxons et corneilles de Bombay – comme cela se produisait, quoique à l'envers, quand ses pensées se détachaient trop violemment, dans le calme oppressant du Club cosmopolite. Il arrivait aussi qu'elle se demandât si elle allait rester là indéfiniment, s'il ne serait pas temps pour elle de rentrer. Sur ce point Rachel ne savait que répondre, Béliard était sans opinion, moi-même je ne sais pas trop. Toujours est-il qu'au bout de vingt jours de ce régime, un matin, Moopanar se présenta chez Gloire à l'improviste : Béliard n'eut que le temps de bondir dans un placard.

Moopanar prétendit d'abord que, passant dans le coin, l'idée lui était venue de cette petite visite, histoire de s'assurer que tout allait bien. Il traversa la chambre, il contempla quelques instants la baie puis, se retournant vers Gloire :

– Pourriez-vous me rendre un petit service ?

– Nous y voilà, se dit Béliard essoufflé, l'oreille collée dans l'obscurité contre la porte du placard.

– Quel genre de service ? fit Gloire.

– C'est tout simple, dit Moopanar, je dois expédier

quelque chose dans votre pays. Il s'agirait seulement d'accompagner cette chose. Veiller à ce que tout se passe bien. Etre là, quoi.

– Ça se précise, répéta Béliard à voix basse.

Gloire ne répondit pas tout de suite. Ce pouvait être l'occasion de rentrer, comme ces jours-ci elle y songeait – mais, connaissant maintenant les activités de Moopanar, ce pouvait être au prix du pire, d'on ne savait quels pains de plastic, d'uranium ou d'opium glissés dans son intimité.

– N'allez pas vous imaginer des choses, lut Moopanar dans ses pensées. Rien de compliqué, rien de risqué. Vous n'aurez qu'à prendre un avion. Je prends en charge tous les frais, vous n'avez rien à faire, quelqu'un vous attendra là-bas pour s'occuper de tout.

– Bon, dit Gloire, admettons. Et ce serait quoi, cette chose à convoyer ?

– Des chevaux, dit Moopanar.

– Ah bon, dit Gloire, des chevaux ?

– Oui, dit Moopanar, des chevaux.

– Evidemment, dit Gloire, si c'est des chevaux.

– Des chevaux, répéta Moopanar, vous voyez bien. Juste des chevaux.

D'un continent vers l'autre, c'est en avion-cargo qu'on transporte les chevaux. D'ordinaire un vétérinaire les escorte, armé d'une seringue géante en cas de problème, mais, assura Moopanar, il n'y aurait pas de problème donc pas de vétérinaire, Gloire pourrait partir seule avec les animaux. Après-demain. D'accord ? D'accord, dit-elle.

Aéroport de Bombay-Saha, donc, le surlendemain. Plein soleil, vent de nord-est modéré. Outre les six chevaux de Moopanar – d'une vieille lignée d'Asie centrale –, l'avion-cargo transporterait l'arbre de turbine d'un barrage hydraulique, renvoyé en France pour échange standard. Tout le volume étant vidé, réduit à l'état de soute immense, seule une cabine dépourvue de hublots était aménagée pour les convoyeurs derrière le poste de pilotage. Six fauteuils la meublaient de front, avec un four à micro-ondes et une armoire de surgelés. Une porte permettait d'accéder au cockpit, une autre donnait sur un escalier de fer descendant vers la soute. Un steward dépourvu d'uniforme assurerait un service restreint. Gloire embrassa Rachel, on décolla.

Trois hommes en civil escortaient l'arbre de turbine, jeunes techniciens spécialisés dans la manutention des choses énormes. Trois jeunes gens en pleine forme et très bavards entre eux, mais trop intimidés pour oser adresser la parole à Gloire qui, distraitement, les écouta aborder mille sujets. Mais il semblait que sur chacun d'entre eux leur conversation, d'abord très animée, se fatiguât assez vite avant de patiner franchement : passé de premiers échanges légers et vifs, dansants, elle s'enlisait bientôt dans quelque ornière. Ils descendaient alors pour la désembourber, s'aidant de leurs pelles américaines et recourant à des branchages puis, dès qu'elle s'était dégagée, aérienne à nouveau, bondissant sur un autre sujet, de justesse ils sautaient à bord de la conversation avant qu'elle repartît sans eux.

Gloire suivit un moment leur échange avant de s'assoupir un peu. Quand elle rouvrit les yeux, les techniciens dormaient. Comme d'habitude en avion, Béliard n'était pas abordable ni même visible : personne à qui parler, rien à regarder par les hublots absents, rien à lire, Gloire commença de trouver le temps long. Par chance le copilote parut bientôt, passant chercher de quoi boire dans le frigorifique. La voyant si désoccupée, le copilote lui proposa de venir prendre un verre avec les autres dans le cockpit : saisissant une bouteille, il s'effaça pour la laisser passer.

Ambiance également calme dans la cabine de pilotage. Le commandant de bord dormait dans son fauteuil et le mécanicien feuilletait des magazines spécialisés. Bonsoir, messieurs, dit Gloire. Le commandant sourit en ouvrant un œil bleu : saillants étaient ses maxillaires et blanche sa brosse. C'est moi qui ai le tire-bouchon, rappela le mécanicien. Ayant installé la jeune femme dans un fauteuil derrière le staff, le copilote reprit sa place devant les cadrans de manœuvre automatique. Le commandant se redressa dans son fauteuil – dont le dossier se doublait d'un rideau de perles ergonomique, de ce modèle auquel recourent les chauffeurs de taxi fragiles des lombaires – puis se retourna vers Gloire. On survolait alors l'Arabie Séoudite.

Aéroport de Paris-Charles-de-Gaulle, donc, trois heures plus tard. Fraîcheur, crachin. Gloire descendit du Boeing en même temps que l'équipage, qui gagna ses quartiers réservés pour se doucher et se changer avant de rentrer à la maison pendant qu'elle passerait seule la douane avec les papiers des chevaux. Elle franchit calmement toutes les formalités, les documents semblaient en règle, on tamponna tout ce qu'on put tamponner. On lui indiqua où elle pourrait récupérer son chargement. Elle devrait pour cela sortir de l'aéroport et rejoindre un bâtiment technique. Moopanar l'avait bien prévenue que quelqu'un l'attendrait à Paris pour s'occuper de tout, mais, si ce quelqu'un faisait défaut, que faire dans la vie seule avec six chevaux ? Nous verrions bien.

Nous vîmes. A peine passé la porte opaque en compagnie des voyageurs débarqués d'autres vols, parmi les parents et alliés venus les attendre nous aperçûmes un visage dont la mobilité se détachait sur tous les autres. Toujours dévoré de tics faciaux, mais sur un mode plus grave que d'habitude : Lagrange. Tiens, dit Gloire, qu'est-ce que tu fais là ? Je t'expliquerai, dit Lagrange. Il avait l'air de très mauvaise humeur. Tu as l'air de très mauvaise humeur, observa Gloire. En effet, reconnut Lagrange, je suis de très mauvaise humeur.

Un acolyte l'accompagnait, que Gloire n'avait jamais rencontré. Gabarit de jockey, vêtements sombres, assez d'espace entre les incisives pour y loger une molaire et répondant au nom de Zbigniew, il coordonnait les trois vans dans lesquels embarqueraient les animaux. On attendit ceux-ci, qui parurent au loin. Ils frissonnaient, ruaient mollement, paraissaient très peu vifs alors que Lagrange donnait en revanche des signes de nervosité croissante au cours de leur transfert. Nul intérêt particulier ne parut éveiller pourtant les fonctionnaires de la douane. En ordre comme les autres, les derniers papiers furent tamponnés.

Ensuite on passe généralement les chiens, les chats, les singes aux rayons X, sans ménagement on balance leur caisse sur le tapis à bagages, au milieu des valises inanimées. Mais on n'a pas d'appareil assez gros pour y passer les chevaux qui défilèrent, au pas, de l'avion jusque dans les fourgons. Gloire ne les avait pas vus à l'embarquement de Bombay, ni n'était descendue les visiter dans la soute. Plutôt abrutis, cernés, ballonnés, ils faisaient tout ce qu'on leur disait, ils n'évoquaient le steeple-chase et le polo que lointainement. Ayant verrouillé les hayons, l'acolyte revint vers Lagrange en claquant dans ses mains : c'est réglé, dit-il. Braves bêtes. Allez, dit Lagrange, vas-y, roule. On se voit jeudi. Nous, on va prendre un taxi.

On regarda s'éloigner les vans, on se dirigea vers les taxis.

– Alors, fit entendre Lagrange, comment c'est allé avec Moopanar ?

Gloire s'arrêtant pile, Lagrange fit encore deux pas puis se retourna.

– Quoi, fit-il. Allez, viens.

– Attends un peu, dit-elle, tu connais ce type ? Tu travailles avec ces gens ?

– Viens, dit Lagrange. Je t'expliquerai.

On rejoignit la file d'attente pour les taxis. Dans l'immédiat, ces véhicules manquaient. Le temps qu'on trouve enfin le seul disponible et qu'on y embarque, surgit en courant le commandant de bord en tenue civile repassée de frais. Frappant à leur vitre, le commandant leur demanda s'ils acceptaient de le prendre avec eux. Bien sûr, dit Gloire pendant que Lagrange se détournait sans répondre. Le commandant s'assit à côté du chauffeur en geignant de satisfaction. C'est bien aimable à vous, dit-il. Vous n'aurez qu'à me jeter place d'Italie.

Le chauffeur était un chauffeur de taxi français classique en noir et blanc, mégot de maïs, accent de Gonesse et casquette à carreaux. Ah, sympathisa le commandant, vous aussi vous l'avez, le dossier à boules. Je vais vous dire, dit le chauffeur, ça m'a sauvé.

C'est fou, dit le commandant, c'est fou ce que ça détend. C'est un truc chinois, je crois, dit le chauffeur, non ? Je ne sais pas au juste, dit le commandant, peut-être scandinave. Mais alors qu'est-ce que ça décontracte, qu'est-ce que ça décontracte. Moi, dit le chauffeur, avant je me payais un de ces mal au dos. Moi de même, abonda le commandant. Mais je crois que nous voici place d'Italie.

Alors, dit Gloire dès qu'il fut descendu, qu'est-ce que tu fais dans cette histoire ? Je t'expliquerai, dit Lagrange, dis-moi d'abord où tu as envie d'aller. N'importe où, répondit Gloire, pourvu que j'aie la paix. Qu'est-ce que tu penserais de la campagne ? suggéra Lagrange. Très bien, dit Gloire. Parfait, dit Lagrange.

22

On fut à la campagne, Lagrange n'expliqua rien.

Après que le taxi les eut transportés rue de Tilsitt, ils étaient aussitôt partis pour la Normandie dans l'Opel de Lagrange qui demeura donc muet sur l'autoroute, puis sur les voies moindres qu'ensuite ils empruntèrent. On sinua trois quarts d'heure dans le bocage et, au détour d'un chemin filiforme à une place, un portail forgé s'ouvrait sur une perspective de tilleuls au bout de laquelle se dressait un petit manoir en brique rose. On n'était pas très loin de la mer, derrière Honfleur, quelque part du côté de Manneville-la-Raoult.

On y parvint dans le début de l'après-midi. Construit là vers la fin XVIIe, le manoir se détachait sèchement sur les prairies fanées : haut parallélépipède nerveux, mince et presque transparent. De grandes fenêtres symétriquement percées dans ses façades laissaient toute la lumière le traverser de part en part. Salons, cuisine au rez-de-chaussée, deux étages occupés par des chambres.

Celle que l'on attribua tout de suite à Gloire occupait tout le dernier étage. La charpente apparente avait l'air d'un bateau renversé ; les vitres étaient en verre brut irrégulier, légèrement coloré, contenant de petites bulles qui déréglaient le paysage. Meubles anciens, peintures et figurines modernes parmi lesquelles, à six kilomètres, le pont de Normandie tout neuf encadré par l'une des six fenêtres, parfaite petite sculpture contemporaine impeccablement éclairée dans son châssis.

La jeune femme regarda par les autres fenêtres. Du côté de la petite route au bout du parc, une habitation basse chaulée dans le genre traditionnel, épis d'iris sur frange de chaume, devait servir de remise et de logement pour le personnel. D'autre part, au-delà d'un jardin puis d'un tennis à filet flasque et d'une piscine bâchée, des chevaux se tenaient plantés dans un pré. Accoudés à la barrière, Lagrange et Zbigniew les regardaient. Gloire descendit les rejoindre.

Les bêtes étaient au nombre d'une dizaine et se déplaçaient peu. Trois d'entre elles hochaient la tête ensemble dans un coin, deux poulains vaguaient autour de leur mère, les autres posaient pour leur statue. Gloire ne reconnut pas, dans ce groupe, les chevaux de Moopanar aperçus le matin même à l'aéroport. Sans doute se remettaient-ils de leur voyage dans le complexe d'écuries et de boxes individuels qui encadraient un manège à l'autre bout du pré. Ils avaient déjà l'air bien las en descendant de l'avion pour embarquer dans le van, sans faire d'histoires et sans se presser, sans que personne pût se douter que les trois premiers d'entre eux contenaient chacun soixante grammes de césium et les trois suivants cinq kilos d'héroïne, celle-ci sous emballage plastique et celui-là sous conteneur plombé. Oui, sans doute récupéraient-ils après qu'on eut extrait leur chargement de leurs entrailles, avant qu'on les emmenât conclure cette affaire chez l'équarrisseur. C'est que c'est quand même vaste, un cheval, fit observer Zbigniew, on peut mettre plein de trucs dedans. Tais-toi donc, dit Lagrange.

Lui-même continuerait de se taire toute la journée, puis la suivante, il paraissait n'être plus le même. Pendant les six semaines où Gloire était absente, Lagrange avait changé mais les jours également avaient changé, de plus en plus longs maintenant, le ciel était plus vaste, les couleurs plus soutenues. Et la saison, se radoucissant, devait faire naître des pensées légères puisque assez tard le troisième soir, après le dernier journal télévisé, Lagrange ayant pas mal bu tout seul au salon tenta de rejoindre Gloire dans sa chambre. Non, fit Gloire à travers la porte : maladroitement, Lagrange fit mine de forcer la serrure mais renonça presque aussitôt. Son pas peu sûr décrut dans l'escalier. Non mais je rêve, avait marmonné Béliard en se retournant sous la courtepointe, il ne manquerait plus que ça. Le lendemain matin, le ciel était noir comme si le jour ne voulait pas se lever, à moins que ce fût la nuit qui se rebiffât et refusât de céder la place : j'y suis, j'y reste. On ne se débarrasse pas de moi comme ça.

Elle était plus accommodante au-dessus de Paris, vers six heures du matin place de la République, laissant la place au jour pour aller vivre enfin sa vie. Au troisième étage d'un immeuble de la rue Yves-Toudic, derrière la République, Personnettaz ne dormait plus depuis longtemps. Il finit par se lever, passa dans la cuisine et, dans un bol, versa deux cuillerées à soupe de café soluble. Il ouvrit le robinet d'eau chaude, la laissa couler pour qu'elle fût bien chaude, traversa le jet d'un index prompt pour s'assurer qu'elle était tout à fait chaude puis il remplit le bol qu'il remporta, sans sucre, dans sa chambre. Il s'assit devant sa table et but ce mélange amer, à petites gorgées, tout en poursuivant la lecture des *Souvenirs et aventures du pays de l'or* de Jack London. Quarante minutes plus tard, son radio-réveil se déclencha en plein milieu d'une phrase à propos du Dow Jones et Personnettaz coupa la suivante, consacrée à l'indice Nikkei, avant de refermer son livre. Le bruit du volume clos résonna brièvement dans la chambre et l'homme se dirigea, tout seul, vers la salle d'eau. Vous ne devriez pas rester à vivre seul comme ça, lui avait pourtant une fois suggéré le concierge de son immeuble. Vous serez un jour vieux et malade, et vous n'aurez personne pour s'occuper de vous.

De passeport yougoslave, le concierge était alors un homme âgé, soigneusement habillé, chaque jour en costume perle et cravate pourpre pour monter le courrier. Mais il y avait de cela quelques années : depuis, pas mal de choses avaient changé. Les locataires s'étaient renouvelés, Personnettaz était descendu d'un étage, le syndic avait récupéré la loge pour l'aménager en studio, donc il n'y avait plus de concierge ni plus généralement de Yougoslavie mais Personnettaz, malgré ce conseil, s'obstinait à vivre solitaire ainsi. Des occasions de ne plus l'être s'étaient certes présentées, qu'il n'avait pas saisies, qui se présentaient moins, qui se présenteraient de moins en moins. Personnettaz ne partagerait sans doute avec personne une queue d'héritage, assaisonnée d'obscures obligations dans le manganèse ou le zinc ou le cadmium, très loin, qu'il tenait il savait à peine d'où.

De petites rentrées complémentaires provenaient sporadiquement des opérations proposées par Jouve mais, sur ce point, Personnettaz se trouvait réduit depuis plusieurs semaines au chômage technique. Toute trace de Gloire était perdue depuis la tentative indienne et Donatienne était retournée chez Stocastic. Plus ou moins soulagé de s'en voir débarrassé, Personnettaz téléphonait quand même à Donatienne, de loin en loin, pour faire le point.

Il enfila quelques affaires sans prendre garde à leur assortiment, se proposant vaguement d'acheter des chaussures un de ces jours – celles-ci devaient facilement faire soixante mille au compteur. Mais, outre cette perspective, rien d'autre à faire aujourd'hui ; ni plus ni moins qu'hier. Et rien ne mine comme l'oisiveté derrière la République, dans un deux-pièces opaque de la rue Yves-Toudic.

Il attendit qu'il fût neuf heures pour donner deux ou trois coups de fil. D'abord Boccara, mais en vain. Quotidiennement depuis son retour, Personnettaz essayait sans succès de joindre le jeune homme au téléphone. A tout hasard il était même passé chez lui mais, devant le portail de l'immeuble, il n'avait pu se rappeler le nouveau code d'accès, seul lui revenait mnémotechniquement l'air de l'ancien. Boccara ne paraissant décidément pas être rentré de croisière, Personnettaz composa le numéro de Jouve. Mais, une fois de plus au bord des larmes en lisant un roman sentimental, madame Jouve répondit que Jouve était absent, comme souvent, comme de plus en plus souvent. Peut-être serait-il rentré demain. Personnettaz annonça sa visite pour le lendemain après-midi. Puis ce fut Salvador qu'il appela.

Rien de neuf non plus chez Stocastic, et la voix de Salvador était rien moins qu'amène. Personnettaz l'informa de son projet de visite à Jouve, ce qui ne présentait guère d'autre intérêt que celui d'avoir l'air actif. Très bien, dit Salvador sans enthousiasme, eh bien vous me tenez au courant. Ah, je crois que Donatienne veut vous parler, je vous la passe. Non, dit trop tard Personnettaz, non. Qu'est-ce que j'entends, fit Donatienne, vous voyez Jouve demain ? Je vous accompagne. C'est inutile, dit Personnettaz, je crois vraiment que c'est inutile, je peux très bien me débrouiller seul. Non, fit Donatienne gravement, vous avez besoin de moi, vous le savez. A demain.

Puis elle reprend sa place en riant devant son clavier, attendant que l'autre se remette à dicter. Mais pour l'instant l'autre se tait. Il se tient assis. Son visage est fermé. Il réfléchit. Il n'a pas le moral. Il est venu au bureau à pied depuis la Nation. Passant au pied d'une des colonnes qui ornent cette place, l'idée de se retrouver trente mètres cinquante au-dessus du sol, à la place de Philippe Auguste, a brutalement fait resurgir son vertige. Le voici non loin de la nausée.

Puis Salvador ne réfléchit même plus. Il considère, venu d'on ne sait où, un moucheron qui circule également à pied sur son bureau, contourne paisiblement l'ordinateur et la boîte à crayons, slalome entre les disquettes, l'eau minérale et le tube d'aspirine. Allant et venant entre ces accessoires, le moucheron s'arrête parfois plus longuement devant l'un d'eux, paraît le détailler, revient sur ses pas puis repart, touriste parmi les monuments. La contemplation de cet insecte inspire à Salvador quelques pensées consolatrices ; tout ça n'est pas si grave ; j'aurais pu finir, à Manille, vendeur dc cigarettes à l'unité. Il se remet à réfléchir. Reprenons, dit-il, note. Grandes blondes chaudes et grandes blondes froides, deuxième partie.

Donc il existe aussi de grandes blondes froides aux paroles mesurées, aux yeux radiographiques, aux tailleurs stricts. Elles sont peut-être plus distinguées, plus civilisées que les grandes blondes chaudes. Mais le monde, pour des raisons inverses, les redoute également. Au mieux, lunaires, elles se raidissent entre ses bras, au pire elles s'y évaporent. Elles s'exposent au risque de transparence, au péril chlorotique. Elles manifestent peu de gaieté. Eva Marie-Saint, dans le genre, est assez représentative. Il y a aussi un peu de ça chez Ingrid Bergman, par exemple.

– Chez Grace Kelly ? proposa Donatienne.

– Tout à fait, dit Salvador, tout à fait. Il peut y avoir un petit peu de ça chez Grace Kelly. Nous avançons.

23

Son roman émouvant posé sur ses genoux, madame Jouve est assise très droite au bord de son canapé, seule devant son téléviseur qui ne diffuse, à cette heure-ci de l'après-midi, que des séries produites outre-Atlantique et outre-Rhin. Interprétées par des comédiennes siliconées aux coiffures sculptées dans la masse, laquées et thermodurcies, ce sont des séries également émouvantes. De la sorte, selon qu'elle suit l'action du livre ou sur l'écran, madame Jouve ôte ou remet ses lunettes derrière lesquelles ou pas, de toute façon, coulent ses larmes. Elle attend le retour de son époux, elle n'a pas fait le ménage à fond, les restes de son déjeuner gisent épars sur la table ; sur le lit, dans la chambre adjacente, les draps sont encore froissés.

Cliquetis de clefs dans l'antichambre et Jouve paraît, son cartable au bout de son bras. Entré dans le salon, les yeux rougis de son épouse lui font détourner puis lever au ciel les siens. Tu n'imagines pas ma journée, prétend-il avant d'énumérer la succession d'obstacles et de rencontres supposés lui avoir mangé son temps. Je ne te demande rien, lui répond son épouse d'une voix noyée. Mais moi je te dis les choses, Geneviève, fait Jouve avec douceur, c'est tout. Je tiens à te dire toutes les choses.

Il ouvre son cartable et fouille dedans, à la recherche de rien de spécial. Il se tient pour insoupçonnable. Nul parfum ne se dégage de sa personne, son col n'est pas taché de rouge ni ses cheveux trop fraîchement repeignés, Jouve est assez organisé. Même s'il arrive qu'une trop pure absence d'indices dénote une encore pire culpabilité. La preuve :

– Tu n'es bon qu'à baiser les autres, observe douloureusement madame Jouve.

– Eh, oh, Geneviève, objecte Jouve, d'abord je ne baise pas que les autres, hein.

Puis, se tournant vers la porte entrouverte de la chambre : tu aurais peut-être pu nettoyer un peu, tu ne crois pas ? Mettre un petit peu d'ordre. Non ?

– Je sais bien que je suis comme je suis, reconnaît madame Jouve, je comprends qu'elles doivent être plus marrantes.

– Enfin, Geneviève, proteste Jouve, qu'est-ce que tu vas t'imaginer ?

Elle se détourne lorsqu'il amorce un petit geste affectueux, mais allez attraper des épaules que l'on hausse. Prenant sur elle, changeant de sujet, Geneviève Jouve s'apprête à lui annoncer la visite de Personnettaz quand on sonne à la porte et justement c'est lui, suivi par Donatienne vêtue plus court-cambré que jamais. Si cette façon de s'habiller ne met pas très à l'aise Personnettaz, par contre l'œil subreptice de Jouve paraît intéressé.

Pendant que Geneviève Jouve parle avec Donatienne, Personnettaz prend Jouve en aparté. Car il n'est pas concevable qu'un cas simple comme celui de Gloire ne puisse être aisément résolu. Il n'est pas vraisemblable qu'on ne dispose plus d'aucune piste. Qu'on lui trouve juste un seul petit indice et Personnettaz se fait fort de reprendre l'affaire, puis de la régler dans les meilleurs délais. Personnettaz n'aime pas avoir piétiné dans cette opération, ni le sentiment d'incompétence qu'il en retire, ni l'oisiveté forcée qui en découle. Il paraît en faire une affaire personnelle.

Jouve l'écoute en ayant l'air de réfléchir, mais ses yeux continuent de se porter furtivement sur Donatienne. En douceur ils dépouillent la jeune femme de sa légère enveloppe textile. Bon, je vais voir, dit-il enfin, je vais voir ce que je peux faire.

Cependant, madame Jouve et Donatienne échangent des points de vue féminins sur des sujets féminins mais pas seulement, pas seulement. Se retournant vers elles, Personnettaz observe que Donatienne paraît très bien s'entendre avec Geneviève Jouve.

Personnettaz connaît depuis longtemps la femme de son employeur, il s'entend mieux avec elle qu'avec lui. Qu'elle prenne plaisir au commerce de la jeune femme lui paraît soudain constituer un accord, un garant, une caution. Dans le registre sentimental, Personnettaz a maladivement besoin de la caution d'un tiers. Il porte sur Donatienne, pour la première fois, un regard différent, mais juste un instant. Puis il jette un coup d'œil sur sa montre et Jouve, par contagion, regarde aussi la sienne et, dans un mouvement d'ensemble, Donatienne et Geneviève consultent également la leur. Tous en effet portent des montres ; tous, le plus tôt possible, à l'occasion d'un examen, d'un anniversaire ou d'une fête civile ou religieuse, ont été menottés au temps ; tous observent à quelques secondes près le même phénomène de bientôt quatre heures vingt. Personnettaz dit qu'on s'en va. On s'en va.

– Tu as vu comment elle s'habille ? demande Geneviève après qu'ils sont partis.

– Ah non, fait Jouve, je n'ai pas remarqué.

– Tu parles comme tu n'as pas remarqué, dit Geneviève, enfin, passons. Je sais ce que c'est, moi, quand elles s'habillent comme ça.

– Ah bon, fait Jouve intéressé. Et alors, qu'est-ce que c'est ?

– De deux choses l'une, énonce Geneviève. Soit elles veulent plaire à un homme, soit elles sont complètement désespérées. Mais qu'est-ce que tu fais ? Tu repars ?

– Je retourne voir ton frère, dit Jouve. Et crois-moi que ce n'est pas de gaieté de cœur.

Mais cette fois-ci, Jouve appelle un taxi qui remonte le boulevard de Sébastopol, vire devant la gare de l'Est et franchit le canal Saint-Martin avant de contourner les Buttes-Chaumont vers le commissariat du quartier Amérique. A la réception de l'antenne de police, le seul client est un Africain porteur d'un costume et d'un porte-documents taillés, ton sur ton, dans la même fibre synthétique. Cet Africain, qui souhaite se procurer les formulaires appropriés à une démarche de regroupement familial – c'est ça, dit le fonctionnaire de garde, pour faire venir toute la smala –, se fait remballer vite fait. Jouve monte directement vers le bureau de son beau-frère.

Celui-ci grimace disgracieusement en voyant Jouve paraître. Qu'est-ce encore, lui dit-il, que tu me veux. Rien, dit Jouve, la même histoire que la dernière fois. Je ne marche plus, dit Clauze, je n'ai pas de raison de te rendre service. Bon, dit Jouve en ouvrant son cartable, écoute. Je suis fatigué de cette brouille. Je te propose quelque chose dans l'intérêt de la famille. Réconcilions-nous, tu veux ? J'ai ici le récépissé. Le voici. Je te le rends.

Le récépissé consiste en trois feuilles de papier

pelure vert tilleul agrafées dans un angle et dactylographiées. Clauze s'en saisit et l'inspecte. Ça me fait drôle de revoir ça, dit-il en secouant la tête avec un mauvais sourire, ça faisait un moment. Je comprends bien, dit Jouve en souriant également, je comprends. Clauze feuillette attentivement le document.

– Mais attends un peu, dit-il, est-ce qu'il n'en manquerait pas une partie ?

– Non, fait ingénument Jouve, tu crois ? Pourtant c'est tout ce que j'ai trouvé dans mes archives.

– Tu essaies de me couillonner, dit Clauze avec amertume. Tu envisages de me faire un enfant dans le dos.

– Pas du tout, s'écrie Jouve, pas du tout.

– Il manque tout ce qui concernait la viande, précise Clauze en agitant le document vers lui.

– Je ne vois pas ce dont tu veux parler, dit Jouve. Mais bon, si tu le prends comme ça, je le reprends.

Et d'un geste vif il le récupère.

– Attends, dit Clauze, non, laisse-le-moi. C'est quand même toujours ça.

– Ah, dit Jouve, non. Si tu ne me fais pas confiance, maintenant c'est donnant donnant. Je te le laisse si tu me trouves autre chose sur la fille.

Pendant quelques secondes, Clauze adresse à Jouve un regard sans amour puis : attends-moi un instant, dit-il enfin. En attendant le retour de son beau-frère, par la fenêtre, Jouve regarde battre mollement la même branche de platane que l'autre jour. La même et l'autre : elle bourgeonne à présent. Dix-sept heures.

Clauze reparaît plus vite que la dernière fois, un nouveau document dans la main. Trois lignes manuscrites, sur une feuille d'agenda, déclinent l'adresse d'une institution gériatrique dans la Seine-Maritime. Tiens, dit-il, j'ai pu trouver ça. Rends-moi les papiers, maintenant. Bien sûr, dit Jouve, tiens. J'embrasse Geneviève de ta part, je suppose. C'est ça, dit Clauze en se levant pour ouvrir la porte, tu l'embrasses. Tu l'embrasses bien fort et puis tu vas crever. Robert, s'exclame plaintivement Jouve, Robert, mais pourquoi tu me dis toujours ça ?

24

Les jours passaient, maigrement meublés de petits tours dans la campagne – aubépine, chemins creux, haies, vaches – ou près de la mer – iode, jetées, goémons, goélands –, de la vite fastidieuse observation des chevaux, d'inattentives lectures et de stations distraites devant la télévision. Gloire, peut-être, aurait dû profiter mieux de l'air pur, de la nourriture saine et variée, d'un sommeil calme toutes fenêtres ouvertes, elle aurait pu faire un peu d'exercice, l'idée ne lui en vint même pas.

Elle trouvait ces journées bien longues, elle aussi regardait souvent l'heure, jamais le cours du temps n'avait paru si lent. D'une lenteur décourageante, multipliée par elle-même, pesant au seuil de l'immobile. Lenteur de l'herbe qui pousse, lenteur d'aï ou de glu. S'il est des mots dont le sens détermine la carrière, la lenteur est sans doute au premier rang de ceux-ci : si lente qu'elle ne s'est pas encore trouvé le moindre synonyme alors que la vitesse, qui ne perd pas une minute, en a déjà plein.

Béliard aussi consultait sa montre sans cesse, la remontait à tout bout de champ. Bouclée à son poignet, cette petite mécanique d'avant le quartz faisait partie des quelques accessoires à sa taille dont l'homoncule disposait : un peigne, un miroir, un mouchoir, une paire de lunettes fumées. Les premiers jours il avait voulu continuer de porter ces lunettes, comme au bon temps des pays chauds, mais, n'y voyant plus rien sous la lumière normande et se cognant contre tout, il avait dû renoncer. Rapidement il se mit à manifester de l'humeur, bouder, faire des scènes. Il regrettait ses belles vacances sous les tropiques, trouvait qu'on s'emmerdait, menaçait de s'en aller. Mais bon, mais c'est ça, dit une fois Gloire exaspérée, tire-toi. Mais tire-toi. Tu me fatigues. Béliard aussitôt sauta sur ses semelles en agitant son doigt :

– Je t'interdis de me parler sur ce ton, trépigna-t-il. Ne va quand même pas t'imaginer que tu es la première dont je m'occupe, hein, j'ai déjà conseillé des gens plus importants. Des gens connus. Dans le milieu du spectacle et tout.

– Et alors ? fit Gloire. Ils sont morts ?

– Pourquoi veux-tu qu'ils soient morts ? s'indigna Béliard. Je connais mon boulot.

Comme elle s'étonnait que ces gens importants, s'ils étaient encore en vie, ne recourent plus à ses services, Béliard se mit à faire la gueule tout en examinant ses dents dans son miroir de poche. D'une voix sourde il évoqua certains problèmes. Il ne désirait pas s'étendre sur les circonstances de ses licenciements. Pardon, fit Gloire, qu'est-ce que tu as dit ? Tu peux répéter ? Derechef, à contrecœur, l'homoncule marmonna le mot licenciement.

– Attends un instant, dit Gloire, tu veux dire qu'on peut te licencier, toi ?

– Bien sûr qu'on peut, dit Béliard, il suffit de vouloir.

– Mais c'est que je veux, moi, dit Gloire, je veux.

– Mais non, ricana Béliard en se tirant une langue noire dans le miroir circulaire. Tu ne le souhaites pas suffisamment.

– Pauvre petit, va, conclut Gloire. Pauvre petit con.

Bref, de légers conflits, comme toujours quand ça traîne, et lorsque ça traîne trop on s'énerve pour un rien. On s'énerve après Béliard, après Lagrange et même après Zbigniew. Après les chevaux. On s'énerve qu'un chien, qu'énerve lui-même un autre chien, aboie dans le fond du parc toute la matinée. On s'ennuie pas mal également. Comme Geneviève Jouve et faute de mieux, on passe de plus en plus de temps devant la télévision. On regarde les films (« Tu vas la perdre, Alex. Elle croit t'aimer »), on regarde les jeux (« Je vous demande à présent toute votre attention, Roger. Quelles sont les fleurs qu'on voit le plus souvent sur les balcons ? – Des nénuphars, non je veux dire des pétunias, eh non c'était des géraniums que je voulais dire. – Hélas je ne puis retenir, Roger, que votre première réponse. Donc, des nénuphars »), on regarde les journaux télévisés. Jamais on ne parle de Gloire au journal télévisé. On n'a d'ailleurs aucune raison pour ça. Pourtant elle le redoute toujours. Ce n'est pas qu'on parle de toi que tu crains, supposa pernicieusement Béliard une fois, c'est qu'on n'en parle pas. Mais arrête ! hurlait-il juste après, tu sais que je ne supporte pas la violence physique.

Sans horizon mais sans péril passèrent ainsi douze jours interminables, pas du tout comme Gloire les avait souhaités, certes à l'abri mais à l'étroit. Un soir elle essaya de circonvenir Zbigniew, mais c'est qu'il n'avait pas tellement de conversation, Zbigniew. Les quelques livres que des rayons supportaient au salon, Gloire les eut tous rapidement lus. Béliard continuait de faire la gueule, Lagrange buvait à présent tous les jours et de plus en plus tôt. Il convenait de s'occuper un peu.

Gloire s'y prit un matin de grand soleil, avant que Lagrange s'y mette, pour le prier de l'emmener en voiture jusqu'à Rouen. Juste l'aller-retour, on serait rentrés pour le dîner. Ma foi, dit Lagrange, pourquoi pas. Ça nous changera un peu. Allons-y. On prit ainsi la route de Rouen. A Pont-Audemer, pendant que Lagrange faisait le plein de l'Opel, Gloire s'éloigna de la station-service vers une proche succursale de la chaîne de supermarchés Shopi. Qu'est-ce que tu fais, lui dit Lagrange, où est-ce que tu vas ? Je vais acheter du cognac, dit Gloire. Excellente idée, fit Lagrange.

Le meilleur cognac de Shopi coûtait cent douze francs vingt dans son carton rigide, Gloire passa au rayon papeterie se procurer un rouleau d'adhésif et un autre de papier crépon. Revenue dans l'Opel on repartit puis, pendant qu'on roulait, tant bien que mal elle emballa le carton dans le crépon, ce qui prit un peu de temps mais en fin de compte cela faisait un paquet-cadeau à peu près convenable, oui. Lagrange avait mis l'autoradio qui passait du J. J. Cale, certes, mais aussi du Boz Scaggs, Lagrange battait la mesure de ses premières phalanges sur le volant, il n'eut pas le mauvais goût de vouloir goûter le cognac.

Rouen, puis la banlieue de Rouen. Des cités HLM, un hôpital, un cimetière, une maison de retraite, on se gara devant la maison de retraite. Attends-moi là, dit Gloire en ouvrant la portière, je n'en ai pas pour longtemps. Lagrange eut également le tact de ne pas lui proposer de l'accompagner.

Au bureau des admissions, Gloire demanda à voir monsieur Abgrall. Lien de parenté : fille unique. Attendez un instant, lui dit-on. Au terme de cet instant parut un infirmier. Grand beau jeune type immaculé, très prévenant et qui avait l'air de bien connaître son père, qui en parlait avec affection, qui emmena

Gloire le retrouver à l'ergothérapie. En pleine conversation avec une dame de son âge, Abgrall père se leva de son fauteuil à leur approche. Pas grand, pas gros, fil de moustache cendrée, l'air égaré mais toujours élégant dans son costume éteint – sosie presque parfait de l'ex-concierge slave de Personnettaz, mais nul que nous ne le saura jamais –, il baisa la main de Gloire dès que celle-ci fut à sa portée. Voilà votre fille, monsieur Abgrall, affirma l'infirmier allègrement, vous êtes content de la voir. Le vieillard considéra Gloire intensément, un poil trop longuement. C'est bien, dit-il, vous venez pour la distribution, c'est bien. Vous venez pour la contribution. Asseyez-vous. Il se tourna vers sa contemporaine : elle vient pour la rétribution, lui confia-t-il à mi-voix.

Nonobstant les activités calmes des vieilles dames alentour – crochet, tricot, confection de fleurs artificielles et de paniers d'osier –, pas mal de bruit régnait quand même à l'ergothérapie. Dans leurs fauteuils de fils plastiques souillés sur tubulures piquetées d'oxyde, des édentés extravertis se balançaient périlleusement, d'autres chantaient en chœur (« Ah, la troublante volupté de la première étreinte »), l'odeur était spéciale et la télé à fond. Est-ce qu'on ne pourrait pas trouver un endroit plus tranquille, s'inquiéta Gloire. En principe on ne peut pas, dit l'infirmier, mais je vais tâcher de vous arranger ça. On va se trouver un coin. Le coin était un petit salon calme, obscur à première vue mais l'infirmier décidément aimable tira les rideaux, dévoilant un massif sur pelouse. Les meubles étaient cirés, le papier peint à fleurs, les fauteuils recouverts de housses. L'infirmier disparut, reparut avec du thé, disparut à nouveau. Ils étaient seuls.

Alors, fit Gloire, tu vas bien ? Personnellement je vais bien, répondit son père, mais ce sont les geais, voyez-vous. Quels geais ? lui demanda Gloire. Ce sont les geais qui ne vont pas très fort, précisa-t-il, on peut même dire qu'ils ne vont pas du tout. Enfin, nuança-t-il après un moment de réflexion, ils ne vont quand même pas si mal que ça. Est-ce que tu te nourris bien, souhaita savoir sa fille. Je mange mieux qu'eux, cligna-t-il. Dix fois mieux, gloussa-t-il, dix fois plus. Non, dit Gloire, je veux dire est-ce que tu es bien nourri. Est-ce que c'est bon. C'est essentiellement chaud, répondit son père. Bien, dit Gloire, il vaut mieux que ce soit chaud. C'est exact, dit-il. Tu as vu comme il fait beau, s'aventura-t-elle, mais son père parut n'avoir pas entendu cette observation. Tiens, je t'ai apporté ça, dit-elle encore. Comme c'est aimable à vous, s'exclama-t-il, qu'est-ce que c'est ? C'est du cognac pour toi, dit Gloire, tu sais, comme d'habitude. Ah, du cognac, s'étonna-t-il. Moi qui n'en ai jamais bu. Tu parles, dit Gloire, mais le vieil homme n'eut pas l'air d'enregistrer ce commentaire non plus. Bon, dit-elle, je vais devoir y aller. C'est vrai, fit-il rêveusement, peut-être qu'il va falloir. Je reviendrai te voir bientôt, dit-elle. Bien sûr, dit-il, n'allez surtout pas vous mettre en retard.

Après qu'on eut reconduit Abgrall père à l'ergothérapie, l'infirmier sympathique escorta Gloire jusqu'à l'entrée. Il lui plaisait pas mal, cet infirmier. Avant de partir, elle lui demanda de veiller à ce qu'on ne confisquât pas le cognac, comme elle redoutait qu'on eût fait la fois précédente. C'est qu'en principe tout ce qui est alcool n'est pas autorisé non plus, sourit largement l'infirmier, mais on s'arrange toujours. J'y veillerai. Cependant s'il y avait un problème avec le vieux monsieur, s'inquiéta-t-il, Gloire pourrait-elle laisser un numéro de téléphone où la joindre, une adresse ? Elle hésita une seconde, vraiment il lui plaisait bien, mais non, dit-elle enfin, c'est moi qui rappellerai.

Gloire sortit de la maison de retraite et se dirigea vers l'Opel stationnée sur des graviers, devant un petit pavillon administratif. Une longue ambulance à capot de requin blanc se trouvait garée tête-bêche auprès d'elle. Gloire monta dans l'Opel qui démarra tout de suite, manœuvra, passa le portail et disparut. Cinq secondes plus tard, l'ambulance démarrait à son tour. Sur le perron de la maison de retraite, l'infirmier considéra ce trafic. Il se tint immobile cinq autres secondes, puis descendit les marches et franchit à son tour le portail. A cinquante mètres à gauche il pénétra dans une cabine téléphonique, glissa dans l'appareil une carte décorée au recto d'un paysage de neige après avoir distraitement lu, au verso, le texte publicitaire suivant : *Au fil des saisons, les horizons comme les sensations changent. Cette émotion, vous pouvez la communiquer le plus facilement du monde.* Cet énoncé fit resurgir son beau sourire, puis il composa le numéro de Jouve.

25

Elle vient de passer, votre jeune femme, annonce l'infirmier. Oui, elle est repartie. Eh non, elle n'a pas laissé d'adresse, mais j'ai quelqu'un d'ici qui la suit. Je devrais savoir ce soir, je vous rappelle demain. Et pour l'argent, comment on fait ? On verra demain, répond Jouve avant de raccrocher tout en se tournant vers son épouse. Il est quand même réglo, ton frère, quelquefois. Ça n'a pas mal marché, son tuyau. On pourrait l'inviter à dîner, tu ne crois pas ? Surtout pas, lui répond Geneviève. Bon, dit Jouve, en attendant je vais prévenir Personnettaz.

La journée du lendemain a défilé à toute allure. Personnettaz s'est d'abord présenté vers neuf heures chez les Jouve qui venaient d'achever leur petit déjeuner. Madame Jouve avait l'air moins rêveuse, moins nerveuse, plus détendue qu'à l'accoutumée. Vous n'êtes pas venu avec la jeune femme de l'autre jour ? lui a-t-elle demandé en lui versant un fond de cafetière. Personnettaz a pincé les lèvres au lieu de répondre. Elle est drôlement jolie, dites donc, a souri Geneviève Jouve, vous en avez de la chance. Personnettaz a voulu se composer un visage détaché, n'est parvenu qu'à s'empourprer en renversant le quart de son café dans la soucoupe. Madame Jouve a battu des paupières à ce spectacle. Chance pour Personnettaz, détournant l'attention, l'infirmier sympathique a rappelé juste alors : il a donné l'adresse de Gloire, Jouve a noté l'adresse. Puis il a redemandé, à propos de l'argent, Jouve a promis l'argent.

– Et qu'est-ce que je fais, maintenant ? a demandé Personnettaz.

– Vous en référez d'abord au client, a dit Jouve. Notez qu'il faut lui signaler le petit supplément de crédits, pour l'infirmier.

– Ça n'entre pas dans mes attributions, a objecté Personnettaz. Je veux bien passer les tenir au courant, mais les questions d'argent, c'est vous qui les réglez.

– D'accord, a convenu Jouve. En tout cas, vous partez dès que possible. Vous y allez seul ?

– Je ne sais pas encore, a dit Personnettaz en évitant de croiser le regard attendri de madame Jouve. Je suppose. Je ne sais pas.

A dix heures cinq, Personnettaz a pris congé des époux Jouve et s'est dirigé vers le siège de Stocastic où, depuis neuf heures et demie, sur la question des grandes femmes blondes, Salvador a décidé de changer de méthodologie. De tout reprendre à zéro. De procéder par ordre. Et d'abord, qu'appelle-t-on blondeur ? Les encyclopédies françaises, qui s'accordent à la définir comme la couleur moyenne entre châtain clair et doré, ne mentionnent ensuite que deux ou trois nuances, le vénitien, le cendré, que sais-je. Les américaines établissent une typologie plus fine, distinguant le blond sable du blond cuivre et le blond platine du blond miel, sans oublier le blond sale (*dirty blond*). D'autres encore. Bien. Poursuivons.

Mais à dix heures trente-cinq Personnettaz est venu interrompre la réflexion de Salvador. Lequel se trouvait seul, Donatienne n'étant pas encore là. Ça y est, lui a fait savoir Personnettaz, on l'a repérée. Cette fois, c'est sûr. Eh bien allez-y, Personnettaz, a distraitement dit Salvador, allez-y. Je crains un peu que ce ne soit pas facile, a objecté Personnettaz, vous avez vu comme elle n'est pas commode. C'est quand même un monde, a remarqué Salvador, pourquoi elle est sauvage comme ça ? On ne lui veut pas de mal à cette fille, pourquoi elle réagit comme ça ? Ça, dit Personnettaz, je ne sais pas.

Mais il le sait, du moins pense-t-il avoir sa petite idée. Salvador et son assistante ont l'air de s'étonner du comportement de Gloire, trouvent la brusquerie de ses réactions bien disproportionnée à la candeur de leur projet. Personnettaz, confusément, trouve ça plutôt normal. Il n'est pas sûr que traîner quelqu'un à la télévision soit un mouvement tellement innocent.

Cependant il n'en laisse rien transparaître. Eh bien, suggère Salvador, reprenez Donatienne si vous êtes inquiet, demandez-lui de vous accompagner. A deux, c'est mieux. Oui, dit Personnettaz, peut-être. Il hésite, il n'aime pas hésiter. S'il a toujours un peu de mal avec Donatienne, il voit aussi qu'elle prend trop de place dans son esprit.

Or voici qu'elle arrive dans les midi moins le quart, on la met au courant. Alors, dit-elle, on y va ? Eh bien ma foi, s'entend répondre Personnettaz, eh bien oui. On va y aller. Ils s'entretiennent encore quelques minutes, puis ils s'en vont à midi dix dans le véhicule de Donatienne.

Mais entre la circulation profuse sur l'autostrade, le temps de manger quelque chose en route et celui de chercher le chemin d'après les indications de l'infirmier, il n'était pas moins de trois heures quand ils ont localisé le manoir. Ils ont garé le véhicule dans une encoignure de murets, vue discrètement imprenable sur l'entrée de la propriété. Quand Donatienne a tiré de son sac un paquet de cigarettes, Personnettaz a descendu d'un tiers la vitre de son côté.

Ils ont eu de la chance, ils n'ont pas attendu trop longtemps. Au bout d'une petite heure, Gloire est apparue seule au volant de l'Opel de Lagrange. On l'a reconnue, on l'a suivie de loin pendant qu'elle s'engageait sur la route de Honfleur. Personnettaz conduisait très délicatement, maniant le levier de vitesses et le volant du bout des doigts, évitant le moindre craquement mécanique comme si tout geste brusque risquait de compromettre la situation, bref roulant sur des œufs. Quand même, pense-t-il, on l'a cherchée au bout du monde, on l'a ratée et la voilà. A deux pas.

Il faisait encore très beau temps, presque aussi beau que la veille : à quatre heures cinq Gloire s'est installée à la terrasse d'un bar, sur le port, où elle a commandé une bière. Elle pouvait avoir l'air d'attendre quelque chose ou quelqu'un. Assis à une terrasse contiguë, Donatienne qui buvait une orangeade et Personnettaz un quart Vichy ne l'ont pas quittée du coin de l'œil. Ils ont feint de s'entretenir comme font les figurants au cinéma, censés parler entre eux dans le fond du champ, inaudibles : leurs lèvres s'agitent dans le vide et leurs dialogues sont en yaourt. De toute façon Personnettaz a toujours beaucoup de mal à parler sereinement avec Donatienne – et de cela cet homme souffre et s'en veut.

Non content de ne pas savoir s'y prendre avec Donatienne, il ne savait pas trop non plus comment procéder avec Gloire. Il hésitait encore. Que faire au juste. Lui parler. La convaincre qu'on ne lui veut aucun mal. S'emparer d'elle en force. En douceur. L'expérience avait assez montré que toute surveillance, toute tentative d'approche ou de contact aboutissaient à de violentes réactions. On allait voir, on tâcherait de faire au mieux.

Gloire s'est levée à cinq heures moins vingt-cinq. Il a fallu la suivre à pied, elle s'est dirigée vers le modeste phare crayeux qui se dresse non loin du port, vers Trouville, sur une petite avancée bordant une falaise de modestes dimensions. Il convient de mentionner que Gloire – qui s'est aperçue déjà, la veille, qu'une ambulance poussive sans gyrophare les avait suivis depuis Rouen – a naturellement repéré le cabriolet non identifié qui venait de la pister à nouveau vers Honfleur. Elle a fait comme si de rien n'était.

La petite porte à la base du phare – pas plus petite qu'une autre, d'ailleurs, mais elle semble écrasée par illusion d'optique –, Gloire va la pousser à cinq heures moins cinq avant de la refermer sur elle. Aux yeux de ses persécuteurs, ce phare est le piège idéal pour la coincer enfin : Donatienne derrière lui, Personnettaz va y entrer à son tour. Il gravira les cent vingt marches de l'escalier à vis. Il débouchera sur l'étroite plateforme circulaire, en plein air, qui surplombe le port. Il aura le temps d'apercevoir les vagues, plus ou moins parallèles, venant battre doucement le littoral comme des lignes écrites s'échouent contre une marge. Coups de vent nerveux, passage de mouettes dans l'atmosphère plus vive qu'au ras du sol et soleil rétracté, trop froid pour aveugler. Donatienne à son tour paraîtra quelques secondes plus tard. Et c'est donc à cinq heures précises que Gloire, surgissant d'un léger renfoncement, surprendra Personnettaz par-derrière et, comme elle sait si bien le faire, le balancera par-dessus la rambarde avec vigueur. On l'a dit, ce n'est pas un grand phare, on dirait presque un jouet, un élément de décor pour film à petit budget. Tomber de là n'est pas se tuer à coup sûr mais, si par chance on en réchappe, quand même on peut se faire très mal et rester diminué.

Tout s'est exactement produit comme on vient de le prévoir, à ceci près qu'au tout dernier moment – 17 h 00' 03" –, alors que Personnettaz basculait dans le vide, Béliard a décidé d'intervenir. Lui qui n'apparaît jamais dans l'ordre social visible vient de se résoudre à mettre publiquement en œuvre ses superpouvoirs. Surgi de nulle part, Béliard s'est élancé vers Donatienne, l'a saisie par la taille et l'a projetée, à son tour, vers Personnettaz. La jeune femme n'a pas eu le temps d'avoir pcur. Comme les parachutistes valsent en plein vol en plein ciel, elle a rejoint Personnettaz à travers l'air, l'a solidement empoigné par les épaules avant de le ramener, toujours téléguidée par l'homoncule, vers la plate-forme du phare. Tout cela très vite, en quelques secondes, personne n'a rien compris – comme après une absence épileptique personne ne souhaite vraiment comprendre ce qui vient de se passer. Personnettaz, l'œil égaré, s'est rajusté, puis se reprenant s'est présenté : Jean-Charles Personnettaz, enchanté. Gloire Abgrall, a dit Gloire. Ils se sont regardés sans amour mais sans hostilité, tout le monde avait l'air assez fatigué. Personne n'a vu Béliard s'éclipser en douceur, frappant ses paumes en aller-retour l'une contre l'autre et bombant le torse, et lissant à deux mains sa coiffure, et voilà le travail.

26

– On ne vous veut aucun mal, dit Personnettaz. Pas moi, en tout cas. Qu'est-ce que vous prenez ?

On avait quitté le phare vers le port, à pied, le jour déclinait. Doucement il déclinait dans un rose de nautile, de fraises à la crème et de glaïeuls. Il faisait à présent trop frais pour investir encore une terrasse, on s'était immergé dans les fauteuils du bar de l'hôtel de l'Absinthe. A cette heure-ci la clientèle était éparse, un barman épongeait le guéridon, attendait la commande et ressemblait à George Sanders.

– Martini-gin, dit Gloire.

– C'est une idée, fit Donatienne, oui. Martini-gin.

– Bon, alors trois Martini-gin, réclama Personnettaz à George en montrant trois de ses doigts.

Généralement Personnettaz évite l'alcool, mais après le phare on avait besoin d'un remontant. On était légèrement engourdis comme à l'issue d'un match ou d'une première, quand on se remet de son effort dans les vestiaires ou dans sa loge. On a quitté son rôle, son maillot, son costume, on rendosse la tenue civile, on revient à la vie. On souffle, on respire calmement. On pourrait échanger des propos apaisés, indulgents et feutrés, mais d'abord pendant quelques minutes on ne se dit carrément rien.

Généralement il évite aussi le tabac, mais comme l'envie, par exception, lui en venait, Personnettaz s'absenta un moment. Lorsqu'il revint, porteur d'ultralégères équipées de filtres à trois étages, Donatienne avait commencé de s'expliquer. D'exposer ses activités pour la télévision, son style de travail, ses projets d'émissions – parmi quoi celle qu'on voulait faire sur Gloire, cause de ce qu'on lui courait après depuis deux mois. On y tenait toujours, à cette émission, Donatienne y tenait beaucoup tout comme son chef nommé Salvador. Accepterait-elle, à présent, d'y participer ? Gloire, sans répondre, ouvrit de grands yeux.

Donatienne assurait que les gens se souvenaient d'elle, qu'ils aimeraient bien savoir ce qu'elle était devenue, Gloire n'était pas sûre de souhaiter qu'ils le sachent. Je ne sais pas trop, dit-elle, non. Je vais réfléchir. Ça ne se fera pas sans votre accord, de toute façon, dit Donatienne, ne vous inquiétez pas. Je vous demande seulement de rencontrer Salvador, ensuite vous ferez ce que vous voudrez.

Ensuite, notez que ce serait plutôt pas mal payé, voyez. On ne manquait pas de liquidités. On avait déjà pas mal dépensé pour aller chercher Gloire à l'autre bout du monde – à ces mots, concerné, Personnettaz allume une cigarette. Comme Donatienne résumait rapidement cette recherche, nulle mention ne fut faite de ses épisodes violents. Aucune allusion, par exemple, à Jean-Claude Kastner, pas plus qu'à l'épisode du phare une heure auparavant.

Cette promenade au phare, Personnettaz et Donatienne semblent d'ailleurs l'avoir oubliée. A moins qu'ils préfèrent ne pas l'évoquer, qu'ils ne soient pas tout à fait sûrs de sa réalité – on n'évoque pas ses hallucinations, cela ressortit à la seule vie privée. De son côté, Gloire ne tient pas à ce que des étrangers s'intéressent à Béliard, à ses interventions dans la réalité. Elle se méfie toujours un peu, d'ailleurs, de la réalité quand Béliard condescend à s'en mêler. Personnettaz allume une deuxième cigarette dont, comme de la première, il n'inhale pratiquement rien vu la compacité du filtre.

Donatienne tâcha tant qu'elle put de convaincre Gloire du bien-fondé de ses propositions. L'argent, le monde, le succès retrouvé, pourquoi pas le début d'une nouvelle carrière et tant qu'on y est l'amour, et on en prend un autre ? On en prit un autre qu'on vida puis Gloire se leva et prit congé. Si vous voulez qu'on en reparle, dit Donatienne, rendez-vous ici demain, dans la matinée. Prenez la nuit pour décider, réfléchissez.

Des violons se déchaînent à la sortie de Gloire. D'abord une attaque en mineur lorsqu'elle se lève brusquement, puis un vertigineux tourbillon grave quand elle porte un dernier regard sur Donatienne et Personnettaz, enfin de brèves attaques en série staccato pendant qu'elle s'éloigne vers le tambour cylindrique de l'entrée. Personnettaz se retrouva seul avec Donatienne. J'en prendrais bien un petit dernier, fit Donatienne. Je sais que ce n'est pas raisonnable mais bon, maintenant que cette affaire est réglée. Pas vous ?

– Non, dit Personnettaz, pour moi ça va.

Nerveusement il arracha le filtre d'une troisième cigarette avant de la griller, sur toute sa longueur, d'une seule et même bouffée. Puis il hésitait, pas très sûr de son coup :

– Vous n'avez rien remarqué tout à l'heure, sur le phare ?

– Ah non, dit Donatienne, pourquoi ?

– Non, dit Personnettaz, rien.

Personnettaz, même s'il n'en est pas sûr, croit quand même se souvenir avoir vu, tout à l'heure, Donatienne fendre les airs pour le sauver d'une mort probable. Mais il aime mieux ne pas insister. Alors, on ne rentre pas ce soir ? enchaîne-t-il.

– Il est tard, juge Donatienne. Vous n'êtes pas fatigué ? Et puis il faut qu'on s'occupe de la fille demain. Ils doivent avoir des chambres, ici. Il a l'air bien, cet hôtel.

Ils avaient en effet des chambres libres, de fait elles étaient bien. Catégorie de luxe comme à Bombay mais en plus soyeux, plus intime, et donnant sur la Manche au lieu de la mer d'Oman. Leurs fenêtres la surplombaient depuis deux étages différents. On s'y reposerait une heure puis on se retrouverait pour dîner : Personnettaz suivit du regard Donatienne en train de s'éloigner vers l'ascenseur.

Lorsque à son tour il l'emprunta, la cabine était mieux éclairée que celle du Club cosmopolite mais, sous le spot vertical près du miroir du fond, Personnettaz se vit pareillement vieillir. Du fond du cœur il n'a jamais pensé qu'une chose pareille lui arriverait, jamais. Ne l'a même pas envisagé. Procédant comme si de rien n'était, comme si cela ne le concernait pas, comme s'il n'était même pas là, il a dû vaguement escompter que le temps l'oublierait. Or le temps l'a rattrapé dans son dos, grossissant à vue d'œil dans le rétroviseur et s'apprêtant à le dépasser. Personnettaz écarte cette idée. C'est qu'il doit se préparer, c'est qu'il va lui falloir, avec Donatienne, bien se tenir pendant tout le dîner.

Personnettaz gagna sa chambre et s'allongea en attendant l'heure. Il pensait réfléchir sur son lit mais il s'y endormit, rêva brièvement, s'éveilla brutalement juste à temps. Eprouvant quelque appréhension, avant de descendre il s'inspecta dans le miroir de la salle de bains. Moins offensif que celui de l'ascenseur, ce miroir n'était pas si bien disposé non plus à l'endroit de l'usager : la preuve, Personnettaz y avisa un bouton sur l'aile gauche de son nez.

En principe, faire sauter ce bouton n'est rien, l'affaire d'un peu d'alcool sur du coton. Faute d'alcool à 90° dans sa trousse de toilette, Personnettaz cherche fébrilement dans le mini-bar quelque liquide s'en approchant. Plutôt que les spiritueux jaunes, type cognac ou whisky, un alcool transparent comme le pharmaceutique conviendrait sans doute mieux : gin, aquavit, vodka. Plutôt vodka, somme toute, dont Personnettaz imbibe un Kleenex et se tamponne avec – après quoi, pour se donner du courage, il siffle d'un trait ce qui reste dans la petite bouteille. Ce qui ne lui ressemble pas. Déjà les cigarettes, tout à l'heure, ça ne lui ressemblait pas. Tout cela n'est pas dans ses habitudes. Personnettaz ne se reconnaît plus.

Gloire était cependant repartie dans la voiture de Lagrange, sur la route elle soliloquait. Les phares de l'Opel perforaient coniquement la nuit tombée, projetant le film de la journée sur le double rideau de peupliers. Sans accepter ni refuser les propositions de Donatienne, Gloire avait à peine réagi, n'avait rien dit. Elle la trouvait plutôt plaisante, cette fille, assez attirante dans le genre brune curviligne énergétique. Elle hésitait. De retour au manoir vers neuf heures, elle tomba sur Lagrange dans l'entrée. Lagrange à moitié saoul prétendit s'être inquiété, se plaignant de l'avoir attendue pour dîner. Non mais tu as vu l'heure qu'il est, fit-il en pointant son index sur son poignet, avant de projeter son pouce dressé vers la cuisine. C'est tout froid, maintenant. Donne-moi deux minutes encore, dit Gloire, j'arrive. Disparu du phare aussitôt après son intervention éclair, Béliard devait avoir réintégré sa chambre. Avant toute chose elle souhaitait le consulter.

– Alors, s'exclama l'homoncule dès que Gloire eut poussé la porte, est-ce que j'ai été bon ?

Il paraissait content de son exploit de l'après-midi. L'avait-on commenté ? désirait-il savoir. Non, lui répondit Gloire, ils n'en ont pas parlé. Normal, se rembrunit Béliard, mais j'aimerais de temps en temps que ça se remarque un peu, quand même. On a parfois besoin du soutien d'un public.

– Oui, dit-elle, je ne sais pas. Tu ne crois pas qu'on aurait mieux fait de se débarrasser d'eux ?

Déposant un doigt sur sa tempe, Béliard exposa qu'il y avait réfléchi mais qu'il ne le pensait pas. Il n'aurait pas sauvé Personnettaz, d'abord, s'il l'avait tenu pour dangereux. Et plus généralement il estimait qu'il était temps pour Gloire de revenir à des méthodes légales, de réintégrer la société des hommes. Va pour Jean-Claude Kastner, passe encore pour le type de Sydney, mais on ne saurait dégommer éternellement les importuns en toute impunité. Malgré tous ses pouvoirs, malgré son invisibilité, un jour ou l'autre cela finirait par se remarquer. Ne valait-il pas mieux composer à présent, tâcher de se plier à l'ordre commun ? Après des années de marge, ce serait peut-être un peu difficile au début mais lui, Béliard, serait là pour l'aider. Qu'est-ce qu'elle voulait, cette fille, au juste ? A contrecœur, Gloire lui exposa les propositions cathodiques de Donatienne. Parfait, dit Béliard, ça tombe à pic. C'est l'occasion ou jamais. Tu crois vraiment ? fit Gloire du bout des lèvres. Naturellement, dit Béliard, acceptons. Ça ne se représentera pas. Va manger quelque chose, maintenant. Tu dois être en forme pour demain.

Gloire descendit retrouver Lagrange, assis tout seul devant des verres dans la salle à manger. Pendant qu'on dînait froid, ses paupières se relâchant plusieurs fois, il ne parut pas bien saisir l'annonce que lui fit Gloire de son départ, n'y trouva que prétexte à s'en resservir un, Gloire quitta la table avant lui.

Lagrange dormait encore le lendemain matin quand Gloire appela l'hôtel de l'Absinthe. Personnettaz et Donatienne parurent une heure plus tard, les sacs de Gloire bondirent d'eux-mêmes dans le coffre du cabriolet qui roulait peu après sur l'autoroute de l'Ouest. Personnettaz et Donatienne devant, Gloire assise à droite derrière eux considérait la route cadrée par leurs épaules dissymétriques : le trafic était fluide sous le ciel blanc. Une fois qu'on eut convenu, dès qu'on serait arrivés à Paris, de l'emmener directement voir Salvador, on n'échangea plus trop de propos. Personnettaz tournait les pages d'un magazine et Gloire ne croisa qu'une fois, dans le rétroviseur, le regard de Donatienne. On n'a même pas parlé d'argent, dit quand même celle-ci vers Mantes-la-Jolie, est-ce que deux cent mille vous iraient ? (Comme Gloire hésite à répondre, Béliard paraît fugitivement sur le fauteuil à côté d'elle : rapide clin d'œil et sourire bref : il déplie quatre doigts qu'il agite.) Quatre cent mille, dit Gloire. Quatre cent mille, fit Donatienne, d'accord. (Béliard hoche la tête, sourit plus largement en dressant le pouce avant de s'évaporer.) On arrivait.

Périphérique sud : huit ou neuf portes séparent celle d'Auteuil de la porte Dorée, près de laquelle descendit Gloire. Donatienne, qui passerait la reprendre un peu plus tard, indiqua qu'une chambre lui était réservée dans un hôtel près de la mosquée. On repartit.

– Où est-ce qu'on va, comme ça ? demanda Personnettaz.

– On pourrait toujours prendre un verre, suggéra Donatienne, sinon je peux vous avancer vers chez vous.

Personnettaz a l'impression d'avoir très longuement réfléchi avant de s'entendre proposer à la jeune femme que ce verre, tant qu'à faire, on pourrait le prendre chez lui.

– C'est une idée, dit-elle contre toute attente, si vous voulez. Vous me guidez ?

– Prenez vers la République, dit Personnettaz d'une voix blanche. J'habite juste à côté.

Sur les boulevards il n'en menait pas large, d'autant qu'ensuite il était toujours difficile de se garer dans le quartier. Par chance une place venait de se libérer dans sa rue, juste en face de chez lui. Il chercha quelque chose à dire sur la chance, sur la rue, sur la vie, une de ces choses enlevées, spirituelles et bien observées qui embellissent l'existence et puis non, rien pour le moment. Ah si, tiens, peut-être – mais comme il allait s'adresser à Donatienne, on cogna désagréablement contre la vitre de son côté. Personnettaz se retourna : Boccara lui souriait largement en faisant des signes derrière la vitre, notamment signe de la baisser. Personnettaz baissa la vitre.

– Qu'est-ce que tu fais là ? demanda-t-il.

– Vraiment c'est un coup de chance, s'enthousiasma Boccara, je voulais vous voir et voilà, je vous vois.

Retour de croisière, il était appréciablement bronzé, portait un complet neuf un peu jaune et léger pour la saison ; il avait pu prendre un kilo. Donatienne le regardait. Personnettaz était embarrassé.

– Alors comme ça, fit-il, tu es rentré.

– Je me suis bien marré, dit Boccara, holà j'ai vu

de ces trucs. Je m'en veux un peu que ce soit fini. J'ai rencontré de ces filles, je ne vous dis pas. Je venais vous voir pour vous raconter.

– Ecoute, commença Personnettaz.

– Bien, l'interrompit Donatienne en saisissant le levier de vitesses, je vais vous laisser avec votre ami.

– Attends, dit Personnettaz en se tournant vers elle, attendez. Mais ce verre, souffla-t-il, je croyais qu'on avait dit.

– Pour une autre fois, sourit Donatienne, vous pouvez me téléphoner si vous voulez.

– Mais, répéta Personnettaz.

Elle continuait de sourire en passant la première, fit un signe de la tête avant de s'éloigner, s'en fut. Le sourire s'attarda, intact, jusqu'au bout de la rue Yves-Toudic, puis il flotterait encore sur ses lèvres tout le temps qu'elle grimperait le boulevard Magenta.

– Qu'est-ce qu'il y a ? fit Boccara. Vous n'avez pas l'air bien.

– Rien, dit Personnettaz en regardant filer le cabriolet. Rien.

S'il en veut bien sûr un peu à Boccara, le sentiment d'un léger soulagement concurrent l'empêche de tenir trop rigueur au jeune homme. Lequel regarde, lui aussi, Donatienne fuir au loin. C'est ainsi : restés seuls, ils la regardent s'en aller.

– Dites donc, dit Boccara, mais c'est qu'elle est extraordinairement gironde.

– Ah bon, dit négligemment Personnettaz en fouillant ses poches, tu trouves ?

– Vous la connaissez bien ? s'inquiète Boccara.

– Un peu, dit modestement Personnettaz en extrayant ses cigarettes, je la connais un peu.

– Vous alors, dit Boccara.

27

Le soleil, se dit Salvador.

Il a cherché de nouvelles idées pour son projet, depuis le début de la matinée, sans en concevoir aucune comme la plupart du temps. Le ciel est très couvert et, par intermittences, il pleut sur la porte Dorée. Salvador n'est pas gai. Son humeur provient-elle de cette stérilité, de ce temps sinistre ou de ce temps perdu, je ne veux pas le savoir. Mais vers midi cela se dégage, les nuages se dissocient, par les fenêtres le soleil découpe de grands parallélogrammes clairs sur le parquet, propulse des trapèzes dans les angles avec des ricochets de reflets. Si le beau fixe, pour autant, n'investit pas son âme, du moins Salvador pense-t-il : le soleil.

Considérons, se propose-t-il, les effets du soleil sur les grandes blondes. Réfléchissons. Pas de demi-mesure avec lui : le soleil bronze ou brûle, il vous tanne ou vous tue. S'il cuivre généreusement les grandes blondes chaudes et conquérantes, il calcine sans miséricorde les grandes blondes chlorotiques réfrigérées. Trop poreuses et translucides, les chlorotiques s'empourprent aussitôt, s'enfièvrent et se retirent. Restent les conquérantes, telles qu'au chapitre onze nous avons tenté d'en esquisser le portrait : leur épiderme plus dense, leur carnation plus résistante accueillent en héros les ultraviolets. Oui, penchons-nous, se dit Salvador, préférons nous pencher sur les grandes blondes bronzées. La porte s'ouvre alors : paraît une grande blonde bronzée.

Féminin, masculin, neutre : si le sexe du soleil varie d'une langue à l'autre, son caractère change également selon les ciels. Et le fait est que, soumise à l'abrupt soleil australien puis aux rayons plus enveloppants de l'indien, Gloire a pas mal bruni depuis son départ. Salvador hésite. Un instant il n'y comprend rien – comme si, tour de magie, sous ses yeux venait de s'incarner son idée – puis il identifie la jeune femme. De telles rencontres peuvent provoquer un court-circuit, un appel d'air suivi d'un incendie ; elles peuvent déclencher un feu d'artifice au cœur d'un arc-en-ciel, accompagné d'un nouveau ruissellement d'orchestre à cordes. Or c'est exactement ce qui se passe dans l'âme ressuscitée de Salvador qui, soudain, paraît bien emprunté. Oui, c'est son corps qui n'a pas l'air de suivre :

– Ah oui, se lève-t-il de travers, oui. Entrez.

Il se heurte au bureau en le contournant pour se

diriger vers Gloire, s'arrête trop loin puis trop près d'elle, hésite à lui tendre sa main qu'il finit par vaguement agiter vers un fauteuil. Le temps qu'il regagne sa place, que Gloire identifie le fauteuil, on entend longuement passer les voitures dans l'avenue du Général-Dodds.

– Je vous attendais, prétend Salvador.

Mais il parle comme à contrecœur et, vingt minutes plus tard, Gloire n'en sait pas beaucoup plus que la veille par Donatienne ; Salvador, pour sa part, n'est pas plus détendu. Il a donné tous les détails possibles à Gloire – tournage fin mai, déplacements, témoignages, documents d'archives, extraits de films, quatre jours de studio, montage, mixage, diffusion fin septembre –, il a tenté des incidentes, risqué des généralités mais sans même oser lui offrir un verre. Bien. Il voulait son accord, elle le lui a donné, et maintenant qu'est-ce qu'on fait ? Ce ne sont plus que silences, contenance perdue de vue, regards détournés, tout cela commence à traîner, Salvador est abominablement troublé. Par bonheur, Donatienne ne s'est pas attardée, qui tombe à pic pour abréger cet entretien. Gloire ne veut pas se montrer trop soulagée de la retrouver. Eh bien alors au revoir, dit gauchement Salvador, donc à bientôt je suppose.

Ensuite, sous le soleil revenu, Gloire et Donatienne fendent le XIIe arrondissement par son axe, franchissent la Seine par le pont d'Austerlitz puis longent le

Jardin des Plantes vers la mosquée. Si les hommes parlent des femmes, en voiture comme ailleurs, la réciproque est vérifiée : comme elles traversent Paris, les deux jeunes femmes échangent des points de vue sur Personnettaz – qu'elles s'accordent à trouver spécial – puis sur Salvador – dont Donatienne confirme qu'il est aussi un peu spécial.

Spécial ou pas, il a tenté de se remettre au travail après leur départ, mais il est trop inattentif, ça ne pourra pas marcher. Salvador fait à pied le tour de son bureau, regarde par la fenêtre, essaie de lire quelques pages de *How to disappear completely and never be found* sans parvenir à s'y intéresser. Referme distraitement l'ouvrage, qu'il enfouit dans un sac plastique, plie ses notes en quatre et les glisse dans sa poche puis se lève de son siège. Veut retourner chez lui. Sort. Descend dans le métro. Assez absent de lui-même il attend sans attendre la rame, qui arrive, il monte dedans. Debout, adossé à la paroi de la voiture, une fois qu'il a jeté un œil vide sur ses voisins – vieilles personnes résignées, lecteurs de revues d'informatique hirsutes, jeune fille sénégalaise avec patins à glace –, il extrait le livre de son sac. Mais comme le sac le gêne pour tenir son livre, il envisage de s'en débarrasser en le mettant dans le sac mais non puisque c'est le même sac, et merde, décidément il est assez distrait.

De retour chez lui, dans sa cuisine américaine,

après un peu de viande froide et de journal télévisé, Salvador déplie, relit, développe rêveusement ses notes, s'exhorte à chasser Gloire de son esprit. Reprenons. Donc, les grandes blondes conquérantes prennent le soleil, l'absorbent, l'assimilent puis l'arborent. Sous forme de pigments. Ainsi, les soirs d'été, dans les night-clubs, croisant leurs jambes interminables sur de hauts tabourets, rayonnent-elles comme des soleils portatifs. Le soleil, conclut Salvador, est lui-même une grande blonde.

Au même instant, rue Yves-Toudic, Personnettaz est également assis dans sa petite cuisine mais il tire d'autres conclusions tout en fumant. Il semble que, depuis la veille, Personnettaz se soit remis à fumer. Deux verres vides sont posés, devant lui, sur la table. C'est que raconter ses aventures a donné soif à Boccara, sur quoi boire l'a rendu bavard : dès lors cela n'avait plus de raisons de s'arrêter, Personnettaz a craint qu'il ne parte plus jamais. Boccara vient à peine de s'en aller. De toute façon Personnettaz n'a pas tout écouté, préférant se rappeler l'appréciation que, ce matin même, le jeune homme a prononcée sur Donatienne. Passé le récit complet de la croisière, il a dû l'interrompre dès que Boccara a tenté d'embrayer sur sa vie amoureuse. Personnettaz est enfin seul.

Il est seul mais il est agité. C'est que le sentiment n'est pas son fort. Jusqu'à présent, pour lui, l'amour s'est toujours présenté sans témoins. Chaque fois qu'il est survenu, peu sûr de son jugement ni de ses émotions, sans consulter autrui, Personnettaz s'est toujours empressé d'y mettre un terme. Sans avis extérieur, il a baissé les bras. Mais qu'un observateur par hasard l'encourage – l'autre fois madame Jouve, aujourd'hui Boccara – et tout paraît possible. L'amour, on le sait, passe fréquemment par un tiers, quoi qu'il dise et quel qu'il soit : ordre ou conseil, permission, prescription, peu importe, l'essentiel c'est qu'il vous encourage. Cela dit, reconnaît amèrement Personnettaz, c'est une histoire bien improbable. Il y a quand même que Donatienne est bien plus belle (je veux dire plus belle que moi je suis beau), sans doute beaucoup plus riche (ce n'est pas difficile), sensiblement plus jeune (voir plus haut).

Bref, les choses ont vogué de telle sorte qu'à ce point de notre affaire nous nous retrouvons avec deux hommes épris de deux femmes extrêmement différentes sur les bras. Que vont-ils entreprendre ? Qu'allons-nous devenir ?

28

Six mois plus tard, pendant la diffusion de l'émission consacrée à Gloire, Personnettaz a séduit Donatienne ou vice versa. Ce jeudi soir, il ne s'attendait à rien de particulier quand à l'improviste elle a surgi chez lui, prétextant son téléviseur en panne. Elle n'a fait aucun commentaire sur l'appartement de Personnettaz : à peu près vide, il ne s'y prête guère. A propos de l'unique objet décoratif, une plante verte à bout de souffle, Donatienne a seulement donné des conseils de réanimation. Personnettaz n'avait rien à offrir à boire qu'un fond de kirsch qu'ils se sont partagé mais qu'ils n'ont pas touché. Quand l'heure de l'émission est arrivée, Personnettaz a allumé son poste, offert à Donatienne le seul fauteuil dont il dispose et pris place à côté d'elle sur un vieux tabouret. Puis, si l'on ne sait pas au juste quelles phrases, quels regards se sont échangés, lequel de ces deux meubles s'est rapproché de l'autre le premier avant que Personnettaz et Donatienne s'allongent sur un troisième, une chose est cependant certaine : ils n'ont pas suivi cette émission jusqu'au bout.

Le dimanche suivant, Personnettaz s'est installé chez Donatienne en répudiant, d'un seul geste et sans regret, son petit logement de la rue Yves-Toudic et ses besognes intermittentes pour Jouve. Son régime alimentaire s'est aussitôt amélioré, sa garde-robe renouvelée, son visage un peu détendu, bref sa vie s'est métamorphosée. Il a même commencé de cultiver l'idée d'épouser un beau jour cette belle femme, bien que Donatienne Personnettaz soit peut-être un petit peu long à prononcer, comme nom.

Un clou chassant l'autre, face à cette défection, Jouve a dû se résigner à remplacer, en tant que premier agent, Personnettaz par Boccara. Lequel a jugé nécessaire, du moins conforme à cet avancement, le recrutement immédiat d'un assistant. Jouve lui a trouvé trois jours plus tard un nouvel élément répondant au nom de Patrick Berthomieux. Patrick Berthomieux est un garçon pensif, retenu, frêle et porteur en toute saison d'un chandail surnuméraire. Inconvénient majeur quand on exerce un tel métier, Patrick Berthomieux craint toujours de vous déranger. Il est à peine plus jeune que Boccara qui, nostalgique de Personnettaz, ne voit pas de meilleur moyen d'évoquer sa mémoire que de se comporter avec Berthomieux comme l'autre procédait avec lui.

Le lendemain de sa promotion, à l'occasion d'une visite à Jouve comme souvent absent de chez lui, Boccara n'a pas trouvé non plus de meilleur projet que séduire Geneviève Jouve. Il lui est apparu le surlendemain que cette perspective était une impasse, une fausse bonne idée. Dès le week-end suivant, en planque avec Patrick Berthomieux devant le domicile d'un ingénieur soupçonné par sa firme, Boccara s'est ouvert à son assistant de ses nouveaux soucis. Comme il avait accoutumé de le faire avec Personnettaz, il a développé devant lui ses idées :

– L'amour, tu vois, lui a-t-il expliqué, c'est vraiment comme la neige à Paris. C'est bien joli quand ça vous tombe dessus mais ça ne tient pas. Et ensuite c'est foutu. Soit que ça vire à la boue, soit que ça vire à la glace, très vite c'est plus d'ennuis que d'émois.

– Ah bon, lui a répondu Berthomieux, tu crois ?

– Oui, a dit Boccara, je crois. Mais je crois surtout, je te le rappelle, que tu dois me dire vous.

– Ah oui, s'est repris Berthomieux, excusez-moi.

Diffusée en prime time, avec une moyenne de 16,2 points Médiamat et 35,6 % de parts de marché, la série de Salvador a recueilli un vif succès. On l'a beaucoup suivie dans les foyers. Geneviève Jouve n'en a pas perdu une miette sur son canapé, ni Lagrange et Zbigniew dans leur cellule à Fresnes. Du coup, Stocastic Film a raffermi ses positions avec les chaînes hertziennes et Salvador a vu son contrat se renouveler. Il ne lui a pas été difficile dans ces conditions de négocier, pour mettre au point d'autres projets, quelques semaines de réflexion à la montagne. Puis il a préparé son bagage.

Autre conséquence de cette diffusion, Gloire à dû faire les frais d'une popularité nouvelle. On s'est mis à la reconnaître à nouveau dans la rue, à lui faire parvenir des sacs postaux de courrier, lui proposer de tourner dans des publicités, de poser nue dans certains magazines et même de remixer ses anciens succès. Mais nous savons bien comme elle est fragile. Après qu'elle a pu s'amuser quelques heures de cette situation, rapidement elle a recommencé à vouloir se cacher, à ne plus s'alimenter, à ne plus ouvrir sa porte ni répondre au téléphone. Le comportement de Gloire a fini par inquiéter le personnel de l'hôtel qu'elle n'a pas quitté, derrière la mosquée. Immédiatement prévenue, bien que très occupée par sa nouvelle vie avec Personnettaz, Donatienne accourue s'est alarmée, s'est efforcée d'apaiser Gloire avant de mettre Salvador au courant.

Lui représentant qu'il était responsable de l'état de la jeune femme, Donatienne a fini par convaincre Salvador de s'occuper d'elle et de la prendre en charge, de la protéger des autres et d'elle-même. Salvador n'a pas pu, d'abord, masquer sa réticence. Ça ne faisait pas du tout son affaire. Vivement impressionné par Gloire mais échaudé par la vie, il aime mieux prévenir que risquer d'avoir à guérir. Baissant le rideau de fer sur ses sentiments, il a soigneusement tenu ses distances avec la jeune femme pendant le tournage. Mais exhorté par Donatienne il a fini par céder. Il a pris sur lui.

Avant de boucler sa valise, il s'est donc d'abord assuré qu'une autre chambre pouvait se libérer dans l'hôtel où il avait réservé, petite pension confortable tenue par deux sœurs dans une station climatique des Pyrénées ; Salvador y a ses habitudes. Aucun problème, a répondu la sœur aînée, très peu de clientèle en ce début d'automne. Ils sont partis en voiture.

Ils sont arrivés en fin de journée. La chambre de Gloire est meublée de bois blanc. Soleil, lessives ont décoloré les rideaux, la courtepointe, et les draps sont très légèrement amidonnés. Par la fenêtre, au loin, Gloire voit se découper dans le crépuscule deux éminences rocheuses aigues qui rythment l'horizon comme sur un encéphalogramme : la base de l'une est reliée par un téléphérique au sommet de l'autre. Après le dîner, fatiguée par la route, elle est montée se coucher tôt en comptant vaguement, sans vraiment la souhaiter, sur une visite de Béliard. Mais non. Ce soir, personne.

C'est qu'on le voit de moins en moins souvent, Béliard. Depuis la diffusion des *Grandes blondes,* ses interventions se font rares. Et, plus intermittent du spectacle que jamais, c'est en coup de vent qu'il apparaît alors. Bientôt Gloire ne l'a plus entrevu que furtivement, l'air pressé de l'homme d'affaires entre deux trains, vêtu d'un costume neuf, consultant sa montre toutes les cinq minutes ainsi qu'un petit calepin qu'elle ne lui connaissait pas. Négligemment, Béliard commence de sous-entendre qu'il a pris des contacts.

Le lendemain de leur arrivée, Salvador a proposé d'aller se promener, comptant sur l'air de la montagne pour équilibrer la jeune femme. A cette altitude et en cette saison, si cet air se montre un peu froid le soir, l'après-midi par contre il revêt sa tenue d'été. Gloire et Salvador marchent en parlant assez peu, pas toujours côte à côte, comme s'ils se connaissaient à peine. Leurs échanges sont empreints de la politesse distante qu'adoptent systématiquement, contraints de partager la même île déserte, les naufragés belligérants. Salvador, qui connaît la région, précise quand même parfois le nom d'une fleur qu'ils ont croisée, le nom d'un oiseau de passage, on s'en tient là. Gloire aura tout loisir, plus tard, de rechercher ces noms dans ses petits volumes anglais sur la nature.

Pour un premier jour, ils ont beaucoup marché. Leurs pas les ont amenés vers l'une des deux éminences aiguës que Gloire aperçoit de sa fenêtre. Ils parviennent à la base de cette éminence, depuis laquelle on peut rejoindre le sommet de l'autre par le téléphérique. Ils sont vêtus de clair, il fait presque chaud, Gloire avance la première et Salvador la suit à quelques mètres, sa veste jetée sur son épaule. Sous le pylône, près d'une petite maison de bois, simple édicule à toit monopente et percé d'un guichet, la benne vide du téléphérique a l'air d'un vieux modèle de tram ou de ferry-boat à quai. Près d'un gros rouleau de tickets, le buste d'un homme au visage cuit, aux doigts épais, vêtu d'un anorak, se découpe dans l'encadrement du guichet. Le paysage est silencieux, nulle âme qui vive à perte de vue sauf Salvador, Gloire et cet homme qui vend aussi des cartes postales du paysage.

Après avoir consulté les tarifs affichés, Gloire vient d'acheter à l'homme deux tickets lorsque Salvador la rejoint. A l'intérieur de l'édicule, l'homme s'est levé pour aller actionner le départ de la benne. Attendez, fait Salvador, attention. C'est que je ne peux pas monter là-dedans, moi. Gloire le regarde interrogativement. Je suis un peu sensible au vide, explique Salvador. Je ne le supporte pas au-dessous de moi. Ça me rend malade, si vous voulez. Ça me fait peur, c'est idiot, mais ça ne se raisonne pas.

Gloire le regarde avec un drôle de sourire un peu fixe, ses yeux sont presque liquides. Allons, venez, dit-elle avec une drôle de voix. Et Salvador, il n'y peut rien, la suit vers la cabine. La porte se referme sur eux dès que l'homme sorti de son édicule a manipulé manettes et leviers, puis appuyé sur un gros bouton vert : le téléphérique se met silencieusement en mouvement. Ils s'élèvent. Ils s'éloignent. Debout près des machines, l'homme voit décroître la cabine au-dessus de laquelle, en plein ciel, des aigles ou déjà des vautours décrivent de nouveaux cercles. Un vent très léger, par intermittences, fait sonner quelques harmoniques dans les câbles du téléphérique. Dont la cabine, à mi-chemin, vient de s'arrêter. Toujours pas de nouvelles de Béliard.

Vous prévoyez le pire, on vous comprend : mort de peur, sans pouvoir jeter le moindre regard au-dessous de lui, Salvador s'accroche de toutes ses forces à tout ce qui ressemble à une poignée, les serre si violemment que ses jointures blanchissent, que l'air lui manque. Mais voici que Gloire lui sourit, s'approche et pose deux doigts sur son épaule en lui soufflant de ne pas s'inquiéter. Voici que sa main passe de l'épaule au cou, puis à la nuque de Salvador, les cheveux de Salvador se divisent entre ses doigts. Et puis l'instant d'après, lâchant toutes ses poignées, c'est la jeune femme qu'il serre dans ses bras.

Comme elle est contre lui, ses lèvres sur son cou, Salvador ouvre un œil et, par-dessus l'épaule de Gloire, il voit distinctement l'abîme. Or, miracle numéro un, nul vertige ne le prend, aucun étourdissement, tous les points cardinaux restent en place, en bonne entente avec les dimensions. Et Gloire, miracle numéro deux, n'envisage pas du tout de faire tomber cet homme dans le vide, ni même peut-être à l'avenir de le laisser tomber de sa vie. Il est possible que nous n'ayons plus jamais besoin de Béliard – à moins qu'il soit seul responsable de ces opérations – car entre ciel et terre Salvador et Gloire s'embrassent encore. Et recommencent et recommencent. Et n'ont pas l'air de souhaiter que ça s'arrête : à voir ainsi leurs visages, leurs corps, il semble que l'un et l'autre n'éprouvent pour l'instant nulle peine, nulle inquiétude particulière. Il n'a plus peur du vide, elle n'a plus peur de rien.